儿·童·故·事·版

【隋／唐／五代十国／宋】

中华五千年

胡志明工作室 绘画

王琪正 编文

上海人民美术出版社

前言 FORE

中国历史上下五千年，源远流长。这套儿童故事版《中华五千年》精心选取了发生在中华大地上的一百多则历史故事，这些故事娓娓动听、浅显易懂，生动有趣地讲述了一百多件中国历史上最具代表性、最有名的历史事件及一百多个最有影响力的英雄人物。

历史是一座宝库，从这座宝库中，小朋友可以认识到我们中华民族是怎样经过一代又一代的努力，才创造出了今天的文化和文明。并能从先辈的身上，学到知识，学到智慧，领悟高尚的情操，汲取勇敢的精神，培养坚强的毅力，树立起远大的理想。

历史是一面镜子，从这面镜子中，小朋友可以分清什么是善恶，什么是光明和黑暗，从而明辨是非，懂得做人的道理和了解做人的意义。

历史是一道催化剂，它能激励小朋友从现在开始，奋发努力、克服困难，抓紧分分秒秒，为自己、为家庭、为国家、为人类，交出一份最令人满意的答卷，书写一页光彩夺目的历史。

这套书按年代分为四册，上至远古传说，下至 20 世纪初。为便于小朋友阅读，文字都注有拼音，省却了查阅字典的麻烦。另外，为便于小朋友理解，扩展知识面，每个故事后都精心设置了小栏目，有"人物记"、"知识档案"、"小博士"、"转播台"等。这些栏目，或是故事的进一步补充、延续；或是故事中某些字词的注解；或是讲明来源和出处，非常实用。

21 世纪，新的世纪，愿新世纪的小朋友站在古人的肩膀上，看得更远，想得更深，成长得更快。

衷心希望这套书能成为小朋友的良师益友，成为学校进行素质教育的优秀课外读物。

编者

2003年6月

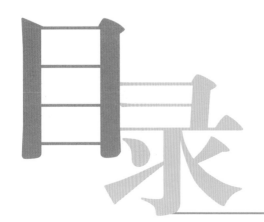

目录

隋 / 唐 / 五代十国 / 宋

大运河：

　　为中国古代南北运输的大动脉，北起北京，南到杭州，又名京杭运河，全长1794公里，是世界上最长的运河，沟通海河、黄河、淮河、长江、钱塘江五大水系。

贞观之治：

　　唐太宗李世民登基以后，他在位的贞观元年（公元627年）到贞观二十三年期间，出现"治世"和"盛世"，社会繁荣、安定，史称"贞观之治"。

包青天：

　　包拯是庐州合肥（今安徽省合肥市）人，生于宋真宗赵恒咸平二年(公元999年)。因为他执法如山，铁面无私，被人们称为包青天。

王安石变法：

　　公元1069年,49岁的王安石任参知政事，开始实施变法，其主要内容包括：农田水利法、方田均税法、青苗法、免役法、均输法、市易法、保甲法。

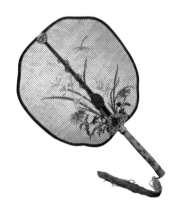

唐诗：

诗歌在唐朝时进入了历史上的黄金时代。流传至今的唐诗有 5 万多首，作者 2000 多人。唐诗内容丰富，艺术价值高，一般分为初唐、盛唐、中唐、晚唐四个时期。

鉴真东渡：

鉴真在唐玄宗年间七次受邀东渡，历尽艰辛后终于成功到达日本。不仅给日本带去了佛教经典，还带去了擅长佛教建筑、雕刻艺术和医药的各种人才，促进了两国的交流。

《资治通鉴》：

　　《资治通鉴》从战国时期到五代时期，共记载了 1362 年的历史。全书 294 卷，300 多万字。详细介绍了各朝重大历史事件的发生、发展以及政治、经济和文化状况，记录了重要历史人物的事和言论。

词：

　　一种韵文形式，由五言诗、七言诗或民间歌谣发展而成，起于唐代，盛于宋代。原是配乐歌唱的一种诗体，句的长短随歌调而改变，因此又叫长短句。有小令和慢词两种，一般分上下两阕。

zhào chuò zhí fǎ
赵绰执法

隋文帝统一全国后，修订刑律，废除了一些残酷的刑罚。但隋文帝自己却不顾刑律规定，往往一时冲动，随便下令杀人。

一次，有人告官员幸壹搞迷信活动，隋文帝一气之下，下令处死幸壹。

司法官员

赵绰知道

幸壹

隋文帝

赵绰

赵绰执法——隋

后，上朝对隋文帝说："幸亶犯了禁令，有罪，但按刑律还够不上死罪。"

隋文帝不耐烦地说："你想救幸亶，就没有你自己的命。"说着，喝令左右侍从把赵绰拉下殿去。

赵绰面不改色，说："陛下可以杀我，但就是不该杀幸亶。"

左右侍从把赵绰拉下朝堂，剥了他的官服，摘掉他的官帽，准备处斩。这时候，隋文帝派人问赵绰还有什么话说，赵绰挺直了腰说："臣一心执法，不怕一死。"

隋文帝并不真想杀赵绰，听了赵绰的话，心想他这样忠于执法，确实难得，就下令把赵绰放了。过了一天，隋文帝还派人慰问了他。

大理官署：管理司法的官署。

赵绰执法——隋

yòu yǒu yí cì　　zài dà lǐ guān shǔ li　　yǒu gè míng jiào lái kuàng de
又有一次，在大理官署里，有个名叫来旷的

guān yuán　bèi dì li xiàng suí wén dì shàng le yí dào zòu zhāng　wū gào zhào chuò
官员，背地里向隋文帝上了一道奏章，诬告赵绰

yíng sī wǔ bì　fàng le bù gāi shè miǎn de fàn rén
营私舞弊，放了不该赦免的犯人。

suí wén dì duì lái kuàng de shàng gào yǒu xiē huái yí　pài qīn xìn guān yuán
隋文帝对来旷的上告有些怀疑，派亲信官员

qù diào chá　　fā xiàn gēn běn méi yǒu zhè huí shì
去调查，发现根本没有这回事。

suí wén dì nòng qīng le zhēn xiàng　bó rán dà nù　lì kè xià lìng chǔ
隋文帝弄清了真相，勃然大怒，立刻下令处

死来旷，并让赵绰来办理这件案子。隋文帝认为这回事情牵涉到赵绰自己，赵绰就不会不执行他处斩来旷的命令了。

谁知赵绰还是说："来旷有罪，但是不该处死。"

隋文帝听了很不高兴，袖子一甩，就退朝往内宫去了。

隋文帝气消后，非常赏识赵绰的正直无私，就改判来旷革职流放。

嵌螺钿舟形黑漆洗

公元581年，隋文帝杨坚即位。公元589年，隋文帝消灭了南朝最后一个朝代陈朝，统一中国。

niú jiǎo guà shū
牛角挂书

suí yáng dì shí yǒu yí
隋炀帝时，有一

cì shào nián lǐ mì qí zài niú
次，少年李密骑在牛

bèi shang chū mén qù kàn péng you
背上，出门去看朋友。

wèi le bú làng fèi lù shang de shí jiān tā bǎ hàn shū tān kāi fàng zài niú
为了不浪费路上的时间，他把《汉书》摊开放在牛

jiǎo shang yì biān gǎn lù yì biān dú shū
角上，一边赶路一边读书。

dāng shí de zǎi xiàng yáng sù zhèng hǎo zuò zhe mǎ chē jīng guò tā kàn dào
当时的宰相杨素正好坐着马车经过，他看到

有个少年坐在牛背上读书，暗暗称奇，就在车上招呼说："那个书生，这么用功啊？"

李密回头一看是宰相大人，连忙跳下牛背，向杨素拱手行了个礼，报了自己的名字。

杨素问："你在看什么书啊？"

李密回答说："我在读项羽的传记。"

杨素跟李密交谈了一阵，觉得他很有抱负，心里非常喜欢。

杨素回去后，把路上遇见李密的事讲给儿子杨玄感听，说："我看李密的学识、才能，比你们兄弟几个都要强得多。将来你们有什么紧要的事，可以找他商量。"

杨玄感后来组织军队准备推翻暴君隋炀帝

东都——是隋炀帝即位后在洛阳建造的一座新都城。为了造东都，他征发大量民工，日夜不停地施工，百姓受尽了苦难。

时，发现身边缺少一个谋士帮他出谋划策，他不禁想起了李密。

李密被接来了，杨玄感向他请教说："要推翻隋炀帝，这个仗怎么打？"

李密说："有三种办法。第一，皇上现在正带兵在辽东攻打高丽，我们带兵北上，截断他的退路。第二，我们向西夺取长安，抄皇上的老巢。

第三，就近攻打东都洛阳，不过这是一条下策，因为东都留有一部分守兵，不一定很快攻得下来。"

杨玄感听了，却认为李密说的下

策是条好计策，立刻出兵攻打东都。

　　隋炀帝听说杨玄感造反，立即派大将率领军队分几路攻打杨玄感，杨玄感很快战败身亡，李密也被抓住了。

　　在被押送去隋营的路上，李密悄悄和其他犯人商量，想办法逃走。大家拿出身上仅有的一些财物，送给隋兵。李密假装悲伤地说："唉，我们早晚是要死的，留着这些财物有什么用呢？都给你们，求你们发发善心，我们死后，将我们埋掉。"

　　隋兵渐渐放松了警惕，李密他们乘机逃出来，几经周折后，李密投奔了另一支反对隋炀帝的起义军——瓦岗军。

　　李密投奔到瓦岗军后，表现出了杰出的才能，很快成了瓦岗军的首领。

zhí yán gǎn jiàn
直 言 敢 谏

唐太宗即位后，提拔敢于说真话的魏征为谏议大夫。

有一次，唐太宗问魏征："历史上的人君，为什么有的明智，有的昏庸？"

魏征回答说："多听各方面的意见，就明智；只听单方面的话，就昏庸。"

接着，魏征又列举了历史上尧、舜和秦二世、梁武帝、隋炀帝的例子，说："治理天下的人君如

果能采纳下面的意见，那么下面的情况就能传达上来，他的亲信要想蒙蔽也蒙蔽不了。"

唐太宗连连点头，说："你说得多好啊！"

又有一天，唐太宗读完隋炀帝的文集，对左右大臣说："我看隋炀帝这个人，学问渊博，也懂得尧、舜的好，桀、纣的不好，可为什么还干出那么多荒唐的事呢？"

魏征接口说："一个皇帝光靠知识渊博不行，还应该懂得虚心听取大臣的意见。隋炀帝自以为是，骄傲自大，说的是尧、舜的话，干的是桀、纣的事，结果就自取灭亡了。"

唐太宗听了，感触很深，说："过去的教训，就是我们的老师啊！"

谏议大夫——专门提意见的官员。

魏征当面
向唐太宗提的
意见越来越多,
有时,唐太宗
听得实在不是
滋味,便沉下
脸。有一次,
唐太宗憋了一

肚子气,退朝后气冲冲地对皇后说:"总有一天,我要杀了他!"

皇后很少见皇上发这么大的火,连忙问:"不知道陛下想杀哪一个?"

唐太宗说:"还不是那个魏征!他当着众大臣的面叫我下不了台,我实在忍受不了。"

皇后听了,一声不吭,回内室换了一套朝见的礼服,向太宗下拜。

直言敢谏——唐

唐太宗惊奇地问："你这是干什么？"

皇后说："我听说英明的天子才有正直的大臣辅佐，现在魏征这样正直，正说明陛下的英明，我怎么能不向陛下祝贺呢？"

皇后的这一番话像一盆清凉的水，立刻浇灭了唐太宗的怒火。

公元643年，魏征病死了，唐太宗很难过。他流着眼泪说："一个人用铜作镜子，可以照见衣帽是不是穿戴得端正；用历史作镜子，可以看到国家兴亡的原因；用人作镜子，可以发现自己做得对不对。魏征一死，我就少了一面好镜子了。"

唐太宗在位期间，由于他重用人才，政治比较开明，采取了一些发展生产的措施，使得唐初社会秩序安定，经济出现了繁荣景象，历史上把这段时期称作"贞观之治"。贞观是唐太宗的年号。

<ruby>qī<rt></rt></ruby> <ruby>suì<rt></rt></ruby> <ruby>yín<rt></rt></ruby> <ruby>shī<rt></rt></ruby>
七 岁 吟 诗

luò bīn wáng shì táng cháo zhù míng shī rén
骆宾王是唐朝著名诗人。

luò bīn wáng　suì nà nián　yí gè yángguāng càn làn de shàng wǔ　tā hé
骆宾王7岁那年，一个阳光灿烂的上午，他和

jǐ gè xiǎo huǒ bàn lái dào cūn tóu de yì tiáo xiǎo hé biān wán shuǎ
几个小伙伴来到村头的一条小河边玩耍。

yí huì er　xiǎo huǒ bàn dōu
一会儿，小伙伴都

qù wán zhuō mí cáng le　zhǐ
去玩捉迷藏了，只

有骆宾王静静地站在小河边，专注地观察着河里的一群白鹅戏水。

村里一位秀才看见了，走过来问："你在看什么呀？"

骆宾王抬头看了一眼秀才，说："我在看白鹅。"

秀才故意逗他说："听说你已经会吟诗作文了，你就来写一首关于白鹅的诗吧！"

"嗯，好的！不过，我得先好好看看。"骆宾王说，头也不抬，继续观察着河里的白鹅。

"你都注意到了什么呀？"秀才有心想考考骆宾王。

骆宾王认真地回答说："你听，吭——吭——吭——这是鹅的叫声，非常响，很有节奏，尾声拖

骆宾王——唐朝著名诗人。公元638年出生于今浙江农村。他一生写了很多诗文，有《骆宾王文集》。

七岁吟诗——唐

_{de bù cháng}
得不长。"

_{nǐ hái kàn dào le shén me ne   xiù cai yòu wèn}
"你还看到了什么呢?"秀才又问。

_{luò bīn wáng zhǐ zhe qún é shuō   bái é jiào shí cháng bó zi wān qū}
骆宾王指着群鹅说:"白鹅叫时,长脖子弯曲

_{zhe   zuǐ duì zhe tiān kōng}
着,嘴对着天空。"

_{bú cuò   nǐ hái kàn dào le shén me}
"不错!你还看到了什么?"

_{é de yǔ máo bái bái de   yóu shuǐ shí   tā men de liǎng zhī hóng sè}
"鹅的羽毛白白的,游水时,它们的两只红色

^{de} ^{jiǎo zhǎngxiàngchuánjiǎng} ^{yí yàng huá dòng zhe shuǐ bō} ^{shuō dào zhè lǐ} ^{luò bīn}
的脚掌像船桨一样划动着水波。"说到这里，骆宾

^{wáng bù děng xiù cai zài wèn} ^{jiù suí kǒu yín sòng chū yì shǒu shī lái}
王不等秀才再问，就随口吟诵出一首诗来：

^{é é é}
"鹅，鹅，鹅，

^{qū xiàngxiàng tiān gē}
曲项向天歌，

^{bái máo fú lù shuǐ}
白毛浮绿水，

^{hóngzhǎng bō qīng bō}
红掌拨清波。"

^{xiù cai tīng le} ^{jīn bu zhù pāi zhǎngchēng zàn shuō} ^{hǎo shī} ^{zhēn shì}
秀才听了，禁不住拍掌称赞说："好诗！真是

^{yì shǒu hǎo shī}
一首好诗！"

长囱编钟

骆宾王的这首《咏鹅》诗，通俗形象，笔调清新，顺口流畅，一千多年来，始终受到人们特别是孩子们的喜爱。

xuán zàng qǔ jīng
玄奘取经

xuán zàng shì cháng
玄奘是长
ān dà cí ēn sì de hé
安大慈恩寺的和
shang tā jīng tōng fó jiào
尚。他精通佛教
jīng diǎn bèi zūn chēng wéi sān zàng
经典，被尊称为三藏
fǎ shī tā tīng shuō tiān zhú yǒu hěn duō fó jīng jiù jué dìng dào tiān zhú qù
法师。他听说天竺有很多佛经，就决定到天竺去
qǔ jīng
取经。

gōng yuán nián xuán zàng cóng cháng ān chū fā qù tiān zhú dāng shí
公元629年，玄奘从长安出发去天竺。当时，
cháo tíng jìn zhǐ táng rén chū jìng zài liáng zhōu tā táo guò biān fáng guān qiǎ xiàng
朝廷禁止唐人出境，在凉州，他逃过边防关卡，向
xī lái dào le yù mén guān fù jìn de guā zhōu
西来到了玉门关附近的瓜州。

凉州的官员发现有人偷越边防，发公文到瓜州通缉他。正当玄奘束手无策时，当地一个胡人表示愿意为他带路。

玄奘喜出望外，立刻变卖衣服，换了两匹马，连夜跟着胡人出发。

好不容易混出了玉门关，他们在草丛里睡了一觉，然后继续西进。哪知胡人走了一程，不想再走了，甚至想谋杀玄奘。玄奘看出他不怀好意，打发他走了。

玄奘单人匹马在关外的沙漠地带摸索前进。这天，他来到一座有兵士把守的堡垒附近，躲在沙沟里。天黑了，他悄悄地走近堡垒前的水源，正当他取出皮袋想盛水时，突然射来一支箭，差

三藏法师——三藏是佛教经典的总称。

瓜州——在今甘肃安西。

高昌——在今新疆吐鲁番东。

点射中他的膝盖。

玄奘知道躲不过，索性朝着堡垒喊道："我是长安来的和尚，你们别射箭！"

玄奘被带进堡垒，幸好守堡的校尉王祥也是信佛教的，他问清玄奘的来历后，不但不难为他，还派人帮他盛水，送了他一些饼，并亲自送他到十几里路外。

经过千辛万苦，玄奘终于走出了大沙漠，来到高昌。

高昌王麴文泰听说玄奘是大唐来的高僧，十分敬重，请他讲经，还诚恳地请他在高昌留下来。

玄奘取经——唐

　　玄奘坚持不肯，麴文泰无法挽留，就给玄奘准备好行装，派了25个人骑马护送。还写信给沿路24国的国王，请他们保护玄奘过境。

　　从那以后，玄奘一路顺利，通过西域各国到达了目的地——天竺。

　　天竺是佛教的发源地。在天竺，玄奘游历各地，朝拜佛教古迹，向高僧学经。公元645年，他带了六百多部佛经，回到了阔别十多年的长安。从此，他专心翻译从天竺带回来的佛经，还和弟子一起编写了一本《大唐西域记》。

　　由于玄奘取经这件事本身带有传奇色彩，后来，在民间流传了许多关于他取经的故事。到了明朝，小说家吴承恩根据这些民间传说，创作出了优秀长篇神话小说《西游记》。

中·华·五·千·年

口袋装诗
kǒu dai zhuāng shī

太阳还没有升起的时候，有一个少年，身上背着一只旧口袋，骑在一匹瘦马上，走在去城外的路上。

李贺

他一边走一边细致地观察着周围的景物。每当触景生情，灵感突发，他就立即掏出纸条，把想好的诗句写下来，投进口袋里。

这个少年是谁呢？他这是在干什么呢？他是童年时代的诗人李贺，他这是在搜集创作的素材。

几乎天天如此，李贺总是一早起来就外出，直到太阳落山才回家。他那口袋里，每天都装满了纸条。有的纸条上只有一句诗，有的纸条上有两句诗，但句句精彩，闪耀着智慧之光。

回到家里，吃过晚饭，他一个人悄悄地躲在书房里，倒出口袋里的纸条，一张张看过去，一张张挑选，然后反复构思，把那些零碎的诗句精心加工成一首首优美的诗篇。

李贺——唐朝著名诗人。公元790年生于今河南宜阳西。他虽然只活了短短的27年，却创作出了许多优秀的名句、名篇，被称为诗坛"奇才"。

起初，母亲以为李贺是去玩，不当一回事。后来见他天天这样早出晚归，身上的口袋又总是鼓鼓囊囊的，不禁产生了疑问。这天，她拦住刚到家的儿子，严肃地问："你这里面藏着什么呀？"

李贺一笑，转身进了书房。母亲的疑心更重了，紧接着跟了进去。啊！原来，口袋里装的全是写满了诗句的纸条呀！

口袋装诗——唐

母亲看了，心疼地说："贺儿，你身体弱，年纪又小，可不能累出病来呀。"

李贺嘴上说"母亲，孩儿知道了"，心思却早就沉浸到诗中去了。

后来，李贺成为唐朝一个著名的诗人。他的诗想像丰富，构思奇特，语言华丽新颖，富有浪漫主义色彩，形成了自己独特的风格，对后世产生了很大的影响。

龙纹铜舥

"黑云压城城欲摧"、"天若有情天亦老"，这是李贺著名的诗句。

dí rén jié jiàn cái
狄仁杰荐才

狄仁杰当豫州刺史的时候，办事公正，执法严明，受到当地百姓的称赞。武则天听说他有才能，便把他调到京城当宰相。

在狄仁杰当宰相前，有个将军娄师德，曾经在武则天面前竭力推荐过他，但狄仁杰并不知道这件事。

有一次，武则天故意问狄仁杰："你看娄师德这个人怎么样？"

武则天

狄仁杰

狄仁杰说："娄师德做个将军，小心谨慎守卫边境，还不错。至于有什么才能，我就不知道了。"

武则天说："你看娄师德是不是能发现人才？"

狄仁杰摇摇头说："我和他一起共事过，没听说过他能发现人才。"

武则天笑着说："我能发现你，就是娄师德推荐的啊！"

狄仁杰听了，非常感动，觉得娄师德为人厚道，自己不如他。

后来，狄仁杰也尽力物色人才，推荐人才，一时成为美谈。

一天，武则天问狄仁杰说："我想物色一个人才，你看哪个行？"

武则天继唐高宗之后执掌朝政，是中国历史上惟一的女皇帝。

狄仁杰说：“不知陛下要的是什么样的人才？”

武则天说：“我想找个能当宰相的。”狄仁杰知道荆州有个叫张柬之的官员，办事干练，是个宰相的人选，就向武则天推荐了。

武则天听了狄仁杰的推荐，提拔张柬之做了洛州司马。

过了一段时期，狄仁杰上朝，对武则天说：“上次我推荐的张柬之，陛下还没用呢！”

武则天说：“我不是已经任用他了吗？”

狄仁杰荐才——唐

狄仁杰说：“我向陛下推荐的，是一个宰相的人选，不是让他当司马的啊。”

武则天这才把张柬之提拔为侍郎，后来，又任命他为宰相。

狄仁杰前前后后一共推荐了几十个人，这些人都成为当时有名的大臣，他们都十分钦佩狄仁杰，把他当做老前辈。有人说：“天下桃李，都出在狄公的门下。”

陶院落

狄仁杰一直活到93岁，武则天很敬重狄仁杰，把他称作“国老”。他死后，武则天常常叹息说：“老天为什么这样早夺走我的国老啊！”

sān tiān dú bēi三天读碑

táng cháo yǒu gè dà shū fǎ jiā　 míng jiào ōu yáng xún
唐朝有个大书法家，名叫欧阳询。

yì tiān　 ōu yáng xún qí mǎ wài chū　 lù guò yí zuò huāng fèi de gǔ
一天，欧阳询骑马外出，路过一座荒废的古

miào　 hū rán　 tā kàn dào miào qián shù zhe yí kuài bēi　 shàngmian kè de zì
庙。忽然，他看到庙前竖着一块碑，上面刻的字

tǐ hěn bú cuò　 jiù lè mǎ liú lǎn qǐ lái　 kàn dào hòu mian luò kuǎn　 cái
体很不错，就勒马浏览起来。看到后面落款，才

知道是西晋著名书法家张艺的弟子索靖的作品。

"怪不得字体这样生动，原来是出自名家之手。"欧阳询在心里暗自赞叹，一边赶马奔向大路。

跑了一段路，欧阳询的思绪又回到刚才的碑刻上，可因为只是粗看了一遍，脑子里回忆不起什么。他想：这么好的碑刻，就这样错过，太可惜了。想到这里，他勒转马头，沿原路回到古庙。

他跳下马，走近碑，仔细地观赏起来。这次，他不但研究了字的结构、笔势，还注意到彼此间疏密长短、上呼下应的安排。

看着看着，不知不觉间天色晚了，欧阳询这才恋恋不舍地上马离开。他一路走，一路还在品味那碑上的字，并用手在空中比画起来。咦，刚

　　欧阳询——唐代著名书法家，创造出笔力十分刚劲的"欧体"。他在世的时候，连我国东邻的朝鲜、日本都派使者慕名而来向他求字。

才那个字是怎么用笔的？还有那草不像草，带点隶书样的几个字，是如何收尾的？我怎么想不起来了？想着，欧阳询又身不由己地将马勒住了。

"我还是没有记熟。下次即使再经过这里，谁知道那碑还在不在呢？"欧阳询想，决定第三次去看碑。

欧阳询

三天读碑——唐

等再次回到古庙，暮色已很浓，碑上的字已经难以辨认了。欧阳询稍一犹豫，就把行李从马背上卸下来，准备就在庙里过夜，等第二

tiān tiān liàng zài kàn
天天亮再看。

jié guǒ　ōu yáng xún yí kàn jiù kàn le sān tiān　zhí dào bǎ zhěng gè
　　结果，欧阳询一看就看了三天，直到把整个

bēi wén de zhěng tǐ dào xì bù quán bù yìn zài nǎo zi li　　tā cái mǎn zài
碑文的整体到细部全部印在脑子里，他才满载

ér guī
而归。

画珐琅提梁壶

　　日本有张报纸叫《朝日新闻》，报头至今仍用欧阳询的
集字组成。

tiě bàng mó zhēn
铁棒磨针

李白很小的时候，父亲就教他读书。

一天，读书时间长了，李白心里觉得厌烦，就偷偷地从家里逃了出来。他一路走一路玩，不知不觉走进了一个山谷。

忽然，李白听到小溪边传来"嚓、嚓、嚓"的声音，定睛

老婆婆

李白

一看，见有一个老婆婆正蹲着身子，在溪边一块石头上专心地磨着一根铁棒。

李白感到很奇怪，就上前问道："老婆婆，你磨铁棒做什么用呢？"

老婆婆头也不抬地照旧磨着，说："磨针。"

李白笑起来，说："铁棒这么粗，这么长，怎能磨成针呢？"

老婆婆没有停手，笑了笑认真地说："只要功夫深，铁棒磨成针！"

李白点点头走开了。走了一段，他回过头来再看老婆婆，只见她还在一个劲地磨啊磨。这时候李白不禁想：这跟读书一样，天下的好书千千万，但只要天天坚持读，总有一天会把这些书读完。

李白——唐朝伟大诗人。字太白，公元701年出生于西域碎叶城，5岁时随全家迁到今四川省江油县。著名诗篇有《静夜思》、《秋浦歌》、《赠汪伦》、《望庐山瀑布》等。

回家后,李白把老婆婆的话"只要功夫深,铁棒磨成针"写下来,贴在墙上,以便时时提醒自己认真读书。

从此,李白变成了一个非常用功的学生。

时间不长,便学业大进,受到父亲的赞扬。

后来,父亲叫李白读《昭明文选》,学习西汉辞赋家司马相如,练习写辞赋。他就抱着这部厚厚的《昭明文选》,一遍又一遍地读。读一篇就模仿着写一篇,一心要超过司马相如。

铁棒磨针——唐

另外，他不知疲倦地阅读屈原、陶渊明、曹植等前代诗人的作品，阅读当代文学家的作品。

他对自己的要求非常严格。有的习作写出来后，他读了觉得不满意，就一把火将它烧了，然后重新构思，再写新作。这样反复地练写，他的诗文就越来越精彩，最终他成了一个伟大的诗人。

画珐琅牡丹纹烟壶

李白的诗想像大胆，语言飘逸豪放，至今流传下来的有近千首，成为我国珍贵的文学遗产。

李白醉酒

lǐ bái zuì jiǔ

李白醉酒

shī rén lǐ bái zài cháo tíng hàn lín yuàn dān rèn hàn lín guān qī jiān yǒu
诗人李白在朝廷翰林院担任翰林官期间，有

yì tiān tā zài cháng ān yì jiā jiǔ diàn li hē jiǔ zhèng dāng tā hē de mǐng
一天，他在长安一家酒店里喝酒。正当他喝得酩

dǐng dà zuì tǎng zài nà li shuì jiào shí jǐ gè tài jiàn gǎn lái tuī xǐng tā
酊大醉，躺在那里睡觉时，几个太监赶来，推醒他

shuō huáng shang yào zhào jiàn tā lǐ bái róu
说皇上要召见他。李白揉

róu yǎn jing zhàn qǐ shēn wèn shì
揉眼睛，站起身问是

zěn me huí shì tài jiàn men
怎么回事，太监们

lái bu jí gēn tā xì shuō
来不及跟他细说，

qī shǒu bā jiǎo bǎ tā sāi jìn
七手八脚把他塞进

李白

李白醉酒——唐

.44.

儿·童·故·事·版

轿子，抬到了宫里。

原来，唐玄宗叫乐工写了一支新曲子，指名要李白填歌词。

李白进了内宫，抬头一看是唐玄宗，想行朝拜礼，身子却不听使唤。有个太监在他脸上洒上凉水，他才渐渐清醒过来。

唐玄宗因为爱他的才，也不怪罪于他，只要他马上把歌词写出来。

太监们忙着在李白面前的几案上放上笔砚绢帛。李白席地坐下来，伸直腿，对旁边一个年老的宦官说："帮我把靴子脱下来。"

那个宦官不是别人，他是唐玄宗宠信的宦官头子高力士。他见一个小小的翰林官居然要他

翰林官——专门给皇上起草诏书的官员。

.45.

脱靴，简直气昏了。不过，因为皇上正等着李白写歌词，他不便发作，只好忍住气，跪着给李白脱了靴子。

李白平时就看不惯高力士作威作福，这会儿他连正眼也不看他，拿起笔龙飞凤舞写起来。

没过多少时间，李白就写好了三首叫做《清平词》的歌词交给唐玄宗。

唐玄宗反复吟了几遍，觉得文词秀丽，节奏铿锵，十分高兴，马上叫乐工演唱了起来。

李白醉酒——唐

高力士从此对李白记恨在心，一心想报复。

一次，他陪伴杨贵妃在御花园里散步，杨贵妃高兴地唱起李白的诗来。

高力士见机会来了，故作惊讶地说："李白这小子在诗里侮辱了您，您还不知道吗？"

杨贵妃连忙问是怎么回事，他就添枝加叶地说李白怎么写诗讽刺她。

杨贵妃听了很生气，在唐玄宗面前一再讲李白不好，渐渐地，唐玄宗对李白也看不惯了。

后来，李白离开朝廷，重新过起了诗人自由自在的生活。

杨贵妃是唐玄宗晚年宠爱的妃子，为了她，唐玄宗很少过问政事，使得国家从兴旺转向衰败。

ān lù shān pàn luàn
安禄山叛乱

táng xuán zōng shí　yǒu gè zài biān jìng jūn zhèn dān rèn jié dù shǐ de ān
唐玄宗时，有个在边境军镇担任节度使的安

lù shān　jīng cháng sōu luó zhēn qín yì shòu　zhēn zhū bǎo bèi　ná dào gōng tíng li
禄山，经常搜罗珍禽异兽，珍珠宝贝，拿到宫廷里

lái tǎo hǎo táng xuán zōng
来讨好唐玄宗。

ān lù shān zhǎng de tè bié féi pàng　ǎi gè zi　tū dù zi　yǒu
安禄山长得特别肥胖，矮个子，凸肚子。有

yí cì　táng xuán zōng zhǐ zhe tā
一次，唐玄宗指着他

de dù zi kāi wán xiào shuō
的肚子开玩笑说：

zhè me dà de dù zi
"这么大的肚子，

lǐ miàn zhuāng de shì shén
里面装的是什

me dōng xi
么东西？"

ān lù
安禄

shān xiàn mèi
山献媚

唐玄宗

安禄山

说：“没有别的，只有一颗赤诚的心。”

唐玄宗认为安禄山对他真是一片忠心，从此更加宠信他。

安禄山呢，变本加厉使出他拍马奉承的本事，不但讨取唐玄宗的信任，还赢得了杨贵妃的欢心，把他收作干儿子。

随着安禄山的权力越来越大，他的野心也越来越大，他秘密扩充兵力，提拔史思明等一批猛将，伺机谋反。

公元755年10月，安禄山经过周密准备，认为发动叛乱的时机已到。这时候，正好有个官员从长安来，安禄山借机假造了一份唐玄宗的诏书，召集手下将士，宣布说：“接到皇上密令，要我立

从安禄山发动叛乱，一直到公元763年，中原地区打了八年内战，历史上称之为“安史之乱”。安，指安禄山；史，指史思明。

即带兵进京讨伐宰相杨国忠。"

将士们面面相觑，觉得事情很突然，可是有

谁敢怀疑圣旨呢？

第二天一早，安禄山带领15万步兵、骑兵南

下，一路上烟尘滚滚，鼓声震地。沿路的官员逃

跑的逃跑，投降的投降，安禄山几乎没有遇到什

么抵抗。

叛乱的消息传到长安，唐玄宗以为是有人造

谣，并不相信。后来

警报一个个传来，他

这才慌

了起来，

安禄山叛乱——唐

儿·童·故·事·版

赶紧召集大臣商议。

满朝官员谁都没有经历过这样的大变乱，个个吓得目瞪口呆。只有杨国忠轻描淡写地说："陛下尽管放心，安禄山叛乱，他的将士不会跟他一起叛乱。不出十天，一定会有人将他的头送来。"

唐玄宗听了，有些安心了。但是，哪儿知道，没过多久，叛军长驱直入，渡过了黄河……

磨花玻璃杯

　　杨国忠——杨贵妃的远房堂兄，他凭着自己外戚的地位，爬升到了宰相的高位。

duàn shé mà zéi
断 舌 骂 贼

安禄山叛乱，首先起来反击他的是常山太守颜杲卿。

叛军到达藁城的时候，颜杲卿已经招募了一千多名壮士。但他知道自己力量还不够，不能跟安禄山硬拼，于是就带领手下官员向叛军假投降。

颜杲卿

酒

叛将

等安禄山渡过黄河，攻下洛阳后，颜杲卿觉得时机已到，准备攻占井陉关，截断安禄山的后路。

颜杲卿打听到把守井陉关的判将是个酒鬼，就假传安禄山的命令，派人带了美酒去慰劳他。

等判将喝得酩酊大醉的时候，颜杲卿乘机杀死他，占领了井陉关。

安禄山得知，气得咬牙切齿，连忙派了两员大将各带一万人马分两路攻打颜杲卿的驻地——常山。

叛军把常山紧紧围困了起来，颜杲卿带领常山军民拼死抵抗了四天，最后城里弹尽粮绝，常山终于陷落在叛军手里。

叛军抓住颜杲卿和他手下的官员袁履谦，把

常山——在今河北正定。

藁城——在今河北省。

井陉关——在今河北井陉。

tā men yā sòng dào luò yáng qù jiàn
他们押送到洛阳去见
ān lù shān
安禄山。

ān lù shān jiàn le
安禄山见了
yán gǎo qīng è hěn hěn
颜杲卿，恶狠狠
de shuō nǐ běn lái
地说："你本来
zhǐ shì gè xiǎo guān shì
只是个小官，是
wǒ tí bá nǐ wéi cháng
我提拔你为常
shān tài shǒu wèi shén me
山太守，为什么
fǎn pàn wǒ
反叛我？"

yán gǎo qīng dà shēng mà dào nǐ yí gè mù yáng xiǎo zi guó jiā ràng
颜杲卿大声骂道："你一个牧羊小子，国家让
nǐ zuò le sān zhèn jié dù shǐ yǒu nǎ diǎn duì bu qǐ nǐ wǒ wèi guó chú
你做了三镇节度使，有哪点对不起你？我为国除
jiān hèn bù dé zhǎn nǐ de tóu jiào shén me fǎn pàn
奸，恨不得斩你的头，叫什么反叛？"

ān lù shān nǎo xiū chéng nù mìng lìng zuǒ yòu shì bīng bǎ yán gǎo qīng
安禄山恼羞成怒，命令左右士兵把颜杲卿、
yuán lǚ qiān tuō dào yí zuò qiáo biān de zhù zi shàng bǎng qǐ lái shǐ yòng cán kù
袁履谦拖到一座桥边的柱子上绑起来，使用残酷
de xíng fá zhé mó tā men
的刑罚折磨他们。

yán gǎo qīng shén sè lǐn rán yí miàn rěn shòu kù xíng yí miàn jì xù
颜杲卿神色凛然，一面忍受酷刑，一面继续

断舌骂贼——唐

痛骂安禄山。

叛军士兵用刀割了颜杲卿的舌头，颜杲卿满口鲜血，还发出含糊的骂声。

袁履谦看到颜杲卿受刑的残酷情景，气得自己咬碎舌头，连血带舌喷在旁边一个叛将的脸上。

颜杲卿、袁履谦骂声不绝，一直到他们咽气。

颜杲卿他们的抵抗虽然失败了，但他们誓死不屈的精神，鼓舞了更多的人起来抗击叛军。

象牙丝编织纨扇

颜杲卿被杀后一个月，河东节度使李光弼出兵井陉关，打退叛军，收复常山。接着，朔方节度使郭子仪也带领兵士到常山和李光弼会合，联合打击叛军。

马嵬驿兵变
mǎ wéi yì bīng biàn

安禄山攻占潼关后，杨国忠知道留在长安没有生路，就劝唐玄宗逃到蜀地去。

这天晚上，唐玄宗、杨国忠带着杨贵妃和一批皇子皇孙们，在禁卫军护送下，悄悄打开宫门，逃出长安。

他们派了个宦官先到沿路各地，要官员准备接待。谁知到了咸阳，派出的宦官和县令都已经逃了。

随行太监好不容易找到当地百姓，向他们讨了点粮食。因为实在饿得慌，那些皇子皇孙们也顾不得什么体面，没有碗筷，就用手捞着吃，一下子就吃得精光。

第三天，一行人来到马嵬驿。随行的将士又饿又累，他们认为这全是奸相杨国忠造成的，越想越气。

这时候，有二十几个吐蕃使者拦住杨国忠的马，向他要粮吃。杨国忠还没来得及答话，周围的兵士们乘机嚷起来："杨国忠要造反了！"一边嚷，一边向他射起箭来。

杨国忠慌忙想逃走，几个兵士赶上去，把他

在马嵬驿，太子李亨被当地百姓挽留下来主持朝政。李亨从马嵬驿一路收拾残余队伍北上，在灵武（在今宁夏灵武西南）即位，这就是唐肃宗。

de tóu kǎn le xià lái   jiē zhe   bīng shì men bāo wéi le táng xuán zōng zhù de
的头砍了下来。接着，兵士们包围了唐玄宗住的
yì guǎn
驿馆。

táng xuán zōng tīng dào wài mian nào hōng hōng de   máng wèn shì zěn me huí shì
唐玄宗听到外面闹哄哄的，忙问是怎么回事。

zuǒ yòu tài jiàn gào su tā   yáng guó zhōng bèi shā le   táng xuán zōng tīng le dà
左右太监告诉他，杨国忠被杀了。唐玄宗听了大

chī yì jīng   bù de bù zhǔ zhe guǎi zhàng   zǒu chū yì mén   yào jiàng shì men huí
吃一惊，不得不拄着拐杖，走出驿门，要将士们回

yíng xiū xi
营休息。

bīng shì men bù lǐ táng xuán zōng de huà
兵士们不理唐玄宗的话，

zhào yàng chǎo chǎo rǎng rǎng   táng xuán zōng pài gāo lì
照样吵吵嚷嚷，唐玄宗派高力

shì zhǎo dào jiāng jūn chén xuán lǐ   wèn bīng shì men
士找到将军陈玄礼，问兵士们

马嵬驿兵变——唐

为什么不肯散去。陈玄礼说："杨国忠谋反,贵妃也不能留下来。"

高力士知道不杀杨贵妃,不能平息兵士们的气愤,对唐玄宗说:"将士们杀了杨国忠,如果留着杨贵妃,将士们哪会心安?希望陛下慎重考虑,将士心安,陛下也安全了。"

唐玄宗为了保自己的命,只好狠心叫高力士把杨贵妃带到别的地方,用带子勒死了。

此后,唐玄宗像惊弓之鸟,急急忙忙逃到成都去了。

马嵬驿——在今陕西兴平县西。

李泌出山

lǐ mì chū shān

唐肃宗在灵武即位后，很需要一个能人来帮助他。他想起自己当太子时的一个好朋友李泌，就派人把李泌接到灵武来。

李泌从小读了不少书，当时的宰相张九龄看到他写的诗文，十分器重他，称赞他是个"神童"。

唐肃宗当太子的时候，有一次，李泌向唐玄

宗上了一道奏章，对国家大事提了一些意见。唐玄宗看了很欣赏，召见他，想给他一个官职。李泌却不愿意做官，唐玄宗于是让他和太子交朋友，太子非常喜欢李泌，把他当老师看待。

后来，李泌因为写诗讽刺杨国忠，受到杨国忠排挤，他索性就跑到山里隐居了起来。

这一回，唐肃宗来请他，他想到朝廷正遭到困难，二话不说就到了灵武。

唐肃宗见到李泌，真像得到宝贝一样高兴，无论大小事情，都跟他商量，李泌有什么主意，没有不听从他的。

唐肃宗要封李泌当宰相，李泌说："陛下待我如知心朋友一样，这比当宰相还要珍贵，何必非

衡山——在今湖南省。

要我挂个名呢？"

唐肃宗见勉强不了他，也就算了。

李泌隐居的时候穿的是布衣，在灵武，他还是照样穿着他原来的衣服。有一次，李泌陪唐肃宗一起骑马巡视军队，兵士们在后面指指点点，说："那个穿黄袍的是皇上，穿白褂子的是山里来的隐士。"

唐肃宗听到这些议论，觉得这样太显眼，就给李泌一件紫色的官服，硬要他穿上。李泌没办法，只好穿了。

后来，

唐肃宗收复了长安和洛阳，李泌觉得自己的心愿了却了，决心离开朝廷。

有一天晚上，唐肃宗请李泌喝酒，李泌趁机说："我已经报答了陛下，请让我回家再做个闲人吧！"

唐肃宗说："唉，我和先生共渡了几年患难，现在正想跟您一起享受安乐，怎么您倒要走了呢？"

李泌却决心已定，唐肃宗禁不住他的一再请求，只好同意。

李泌离开朝廷，来到衡山，在山上造个屋子，重新过起了他的隐居生活。

李泌离开朝廷后，唐肃宗身边少了一个正直的大臣，李辅国等一批宦官的权力就大起来了。

.63.

计破史思明

jì pò shǐ sī míng

唐肃宗收复长安、洛阳后，叛军将领史思明举兵进攻洛阳。

唐肃宗命久经沙场的老将李光弼带兵打击叛军。李光弼到了洛阳，洛阳的官员见到史思明兵强势猛，向李光弼建议退守潼关。

李光弼说：

"现在双方势均力敌，我们退了，敌人会

李光弼

唐肃宗

更加猖獗，不如我军转移到河阳，进可以攻，退可以守。"

于是，李光弼下令官员和百姓全部撤出洛阳，等史思明带领叛军进洛阳的时候，洛阳已成了一座空城。

史思明在洛阳要人没人，要粮没粮，又怕李光弼偷袭，只好带兵出城，在河阳南面筑好阵地，和李光弼的唐军对峙。

因为在河阳的唐军兵力不如叛军，李光弼决定智取，而不采取强攻。他听说史思明从河北带来一千多匹战马，每天放在河边沙洲洗澡吃草，就命令部下把母马集中起来，而把小马拴在马厩里。等叛军的战马一到沙洲，李光弼就命令把母

河阳——在今河南孟县。

mǎ fàng chū lái hé dí rén de zhàn mǎ hùn zài yì qǐ guò le yí huì mǔ
马放出来和敌人的战马混在一起。过了一会，母

mǎ xiǎng qǐ xiǎo mǎ sī jiào zhe bēn huí lái dí rén de zhàn mǎ biàn yě gēn
马想起小马，嘶叫着奔回来，敌人的战马便也跟

zhe pǎo xiàng táng jūn de zhèn dì lái le
着跑向唐军的阵地来了。

shǐ sī míng yí xià zi diū le shàng qiān pǐ zhàn mǎ qì de fā fēng
史思明一下子丢了上千匹战马，气得发疯，

lì kè mìng lìng bù xià jí zhōng jǐ bǎi tiáo zhàn chuán cóng shuǐ lù xiàng táng jūn jìn
立刻命令部下集中几百条战船，从水路向唐军进

gōng qián mian zé yòng yì tiáo huǒ chuán kāi lù zhǔn bèi bǎ táng jūn de fú qiáo
攻。前面则用一条火船开路，准备把唐军的浮桥

烧掉。

李光弼得知后，命部下准备了几百支粗大的长竹竿，竿头全部用铁甲裹扎好。等叛军的火船驶来，几百名兵士站在浮桥上，将竹竿用力顶住火船。火船没法前进，被烧得面目全非，很快就沉没了。

接着，唐军又在浮桥上发射石头炮攻击敌人的战船，把船上的敌人打得头破血流。有的连人带船沉到水底，有的挣扎着爬上岸，没命地逃跑了。

后来，史思明又几次三番派部将进攻河阳，都被李光弼用计打退了。

李光弼带兵坚守河阳，与敌方相持了将近两年。后来，唐肃宗听信宦官鱼朝恩的话，错误地命李光弼攻打洛阳。李光弼冒险进攻，结果打了败仗，被撤去主帅之职。

lì zhì chāo zǔ fù
立志超祖父

杜甫是
táng dài dà shī rén
唐代大诗人，
tā cóng xiǎo xiōng huái
他从小胸怀
dà zhì xué xí
大志，学习
kè kǔ
刻苦。
dù fǔ sān
杜甫三
suì shí tā de mǔ
岁时，他的母
qīn jiù qù shì le tā bèi jì yǎng zài luò yáng de èr gū mǔ jiā li
亲就去世了，他被寄养在洛阳的二姑母家里。
dù fǔ qī suì nà nián yì tiān tā xiě le yì shǒu tí mù jiào fèng
杜甫七岁那年，一天，他写了一首题目叫《凤
huáng de shī zì jǐ jué de hěn mǎn yì jiù zài shū fáng li yí biàn yòu yí
凰》的诗，自己觉得很满意，就在书房里一遍又一
biàn de lǎng dú zhe
遍地朗读着。
èr gū mǔ cóng wū wài zǒu guò tīng jiàn le lǎng dú shēng wèn dào
二姑母从屋外走过，听见了朗读声，问道：

"侄儿，你在读什么书呢？"

"二姑母，我是在读自己写的诗。"

二姑母连忙走进屋，拿起杜甫的诗稿看了起来，看完，她兴高采烈地赞扬说："真是一首好诗！我们家又要出大诗人啦！"

杜甫的祖父名叫杜审言，曾是闻名诗坛的诗人。二姑母接着又对杜甫说："侄儿，你的诗应该写得比爷爷还要好，将来你一定要做诗国中的凤凰！"

听了二姑母的话，杜甫激动万分，暗暗下决心要超过祖父。

杜甫十多岁时，有一次，二姑父把他写的诗拿去请教当时的著名诗人李邕。李邕读了杜甫

"甫昔少年日……"，"昔"是"从前"的意思。

的诗，还以为是一个很有成就的老诗人写的，派人请他到家里来一起叙谈。

杜甫应邀前去，李邕见到杜甫竟是一个十多岁的孩子，又惊又喜。他热情地拉着杜甫的手，大笑着说："想不到你竟是这样年少，真可谓'英雄出少年'哪！"

当李邕得知杜甫的祖父就是杜审言后，又勉励杜甫说："你应该努力上进，精益求精，'青出于蓝而胜于蓝'，将来超过你的祖父！"

杜甫受到这样热情的鼓励，并没

立志超祖父——唐

有沾沾自喜，骄傲起来，而是更加刻苦努力，大量读书。后来，他在一首诗中，这样写了自己小时候的学习情况："甫昔少年日……读书破万卷，下笔如有神。"意思是说他小时候看了许许多多书，笔下才有写不完的诗。

天青纱大镶边右衽女衫

人物记

　　杜甫——唐代大诗人。字子美，公元712年出生在河南巩县。他的诗大多写的是战乱中人民的苦难，反映了唐王朝从兴盛到衰落的过程。所以，人们把他的诗称作"诗史"。

yè sù shí háo
夜宿石壕

ān lù shān fā dòng pàn luàn hòu   cháng
安禄山发动叛乱后，长

ān yí dài de bǎi xìng fēn fēn táo nàn   dù fǔ
安一带的百姓纷纷逃难，杜甫

yì jiā yě jǐ
一家也挤

zài nàn mín de
在难民的

háng liè li chī
行列里，吃

jìn le qiān xīn
尽了千辛

wàn kǔ
万苦。

hòu lái
后来，

dù fǔ tīng dào táng sù zōng zài líng wǔ jí wèi de xiāo xi   jiù qián wǎng tóu bèn
杜甫听到唐肃宗在灵武即位的消息，就前往投奔

táng sù zōng   shuí zhī bàn lù shang yù dào pàn jūn   bèi zhuā dào cháng ān
唐肃宗。谁知半路上遇到叛军，被抓到长安。

nà shí   cháng ān yǐ xiàn luò zài pàn jūn shǒu li   pàn jūn dào chù shāo
那时，长安已陷落在叛军手里，叛军到处烧

shā qiǎng lüè   chéng li yí piàn láng jí   dì èr nián   dù fǔ cóng cháng ān táo
杀抢掠，城里一片狼藉。第二年，杜甫从长安逃

了出来，他打听到唐肃宗在凤翔，就赶到凤翔去见唐肃宗。

唐肃宗对杜甫长途跋涉投奔朝廷表示赞赏，委派他一个左拾遗的官职。

左拾遗是个谏官，唐肃宗虽然给了杜甫这个官职，但并没有重用他的意思。一心想报效国家的杜甫却认真地办起事来。不久，唐肃宗撤了宰相的职，杜甫认为他很有才能，不该把他罢免，就上了一道奏章向唐肃宗进谏。

唐肃宗看了杜甫的奏章，很不高兴，后来改派他到华州去做管理祭祀和学校的小官。

杜甫带着失意的心情，来到华州。那时候，唐军到处抓壮丁补充兵力，把百姓折腾得苦不

凤翔——在今陕西凤翔。

华州——在今陕西华县。

石壕——在今河南陕县东南。

.73.

^{kān yán}
堪言。

有一天，杜甫经过一座叫石壕的村子，他看
天色已经很晚了，就到一家穷苦人家去借宿。

接待杜甫的是一对老年夫妻。半夜里，杜甫
正翻来覆去睡不着，忽然听见一阵急促的敲门
声。接着，他又听见有人翻过后墙逃走了，那位
老婆婆呢，一面答应着，一面去开门。

原来是
官府派来抓
壮丁的差

差役

老婆婆

夜宿石壕——唐

儿·童·故·事·版

役，他们厉声喝问老婆婆："你家男人到哪里去了？"

老婆婆哭着说："我三个儿子都被你们抓去打仗了，前两天刚接到一个儿子的来信，说两个兄弟都已死在战场上，你们还要什么人？"

老婆婆讲了很多哀求的话，那些差役却不肯罢休，最后带走老婆婆到军营去做苦役。

天亮了，送别杜甫的只有那位老大爷一个人。杜甫心里很不平静，联想到自己在官府的遭遇，更是愤愤不平。后来，他把这件事写成诗，叫《石壕吏》，控诉了官府对百姓的欺压和奴役。

杜甫为后世人民流下了很多宝贵的诗篇，其中较为著名的有写于安史之乱的《三吏》、《三别》。

quàn shuō guō xī
劝 说 郭 晞

唐朝有个大将军，名叫郭子仪，他作战勇敢，

威望很高。他的儿子郭晞却仗着父亲的名望，和

手下的兵士在外面为非作歹，任意欺压百姓。

邠州都虞侯段秀实知道了，决心好好管管这

些人。

一天，郭晞手下

有十几个兵士在街上

段秀实

兵士

酒店里酗酒闹事，酒店主人要他们付酒钱，他们非但不付，还拔刀刺伤主人，气势汹汹地把店里的酒桶全部打翻。

段秀实得到报告，立刻派出一队兵士，抓住那十几个酗酒闹事的人，统统就地正法。

消息传到郭晞军营，郭晞一听有人居然敢抓他手下的人，气得发昏。兵士们更是耀武扬威，只等郭晞发出号令，就要前去跟段秀实算帐。

段秀实的上司、邠州节度使白孝德怪段秀实给他闯了祸，段秀实说："白公不要害怕，我自会去对付。"说着，就准备到郭晞军营里去。

白孝德要派几十个兵士跟随段秀实一起去，段秀实不要，他选了一个跛脚的老兵替他拉着马，

都虞侯——军法官。

幡然醒悟——猛然醒悟，一下觉醒。

yì qǐ dào le guō xī jūn yíng
一起到了郭晞军营。

guō xī de bīng shì men quán shēn chuān zhe kuī jiǎ shā qì téng téng de zài
郭晞的兵士们全身穿着盔甲，杀气腾腾地在

yíng mén kǒu lán zhù duàn xiù shí duàn xiù shí xiào zhe shuō shā gè lǎo bīng
营门口拦住段秀实。段秀实笑着说："杀个老兵，

hái yòng de shang bǎi zhè ge jià shi wǒ bǎ wǒ de tóu dài lái le jiào nǐ
还用得上摆这个架势！我把我的头带来了，叫你

men jiāng jūn chū lái ba
们将军出来吧。"

bīng shì men kàn dào duàn xiù shí yí fù tài rán zì ruò de yàng zi fǎn
兵士们看到段秀实一副泰然自若的样子，反

dào lèng zhù le lián máng bào gào guō xī
倒愣住了，连忙报告郭晞。

duàn xiù shí jiàn le guō xī chéng kěn de
段秀实见了郭晞，诚恳地

shuō lìng zūn dà
说："令尊大

rén lì le dà gōng
人立了大功，

大家都敬仰他。现在你却纵容兵士横行不法，这样下去，你郭家的功名也就完了。"

郭晞听了，幡然醒悟，他沉痛地说："段公指教我，这是对我的爱护，我一定听从您的劝告。"

从此，郭家的兵士军纪严明，没人再敢违法闹事了。

掐丝珐琅鱼藻纹高足碗

段秀实——原是泾州（今甘肃泾川北）刺史，他知道郭晞的兵士胡作非为后，特地请求到白孝德手下做一名都虞侯，寻机管教他们。

京城拜师
jīng chéng bài shī

唐代大诗人白居易，小时候是个神童。他五六岁开始学习写诗，八九岁已经懂得诗的声韵，到十四五岁，诗已经写得很好了。

但是，白居易并不满足自己的成绩，16岁那年，他带上自己写的诗，千里迢迢独自赶去京城长安拜师求教。

到了长安，白居易不看华丽的楼阁、热闹的街市，也不逛货架上

摆着琳琅满目商品的店铺，只一心向人们打听著名老诗人顾况的住所。

经过别人的指点，白居易找到了老诗人的住所。顾况坐在厅堂里，看见来的是一个大孩子，并不把他放在眼里。白居易行过礼，把带来的诗呈送给老诗人，恭敬地说："请长辈指教！"

老诗人打开诗稿，看见上面写着"白居易"三个字，笑着说："长安这个地方米价很贵，你一个外地来的少年，要想长久居住下去，可不是一件容易的事啊！"

老诗人的话表面看来是在拿白居易的姓名开玩笑，其实呢，他的真正含义是说一个初出茅庐的年轻人，要想在京城长安这么一个很多人向

白居易——我国唐代著名大诗人。字乐天，公元772年出生在山西太原。他一生写了三千多首诗，其中广为流传的有《野草》、《长恨歌》、《琵琶行》、《卖炭翁》等。

往的地方出诗名，是很不容易的。

但当老诗人看了白居易写的诗，竟站起来赞不绝口："好诗！好诗！"并且由衷地说："你写得出这样的佳作来，要在长安住下去是一件很容易的事了。"

顾况高度赞扬的白居易的这首诗，诗名叫《赋得古原草送别》。诗中有四句是这样写的:"离离原上草,一岁一枯荣。野火烧不尽,春风吹又生。"

受到老诗人的鼓励,白居易写诗的信心更足了。从此以后,老诗人经常向长安城里的文人学士赞扬白居易的才华,使他诗名大振,到处传扬开来。

粉彩白鹿图瓷尊

故事中四句诗句的意思是:原野上的野草长得很茂盛,每年它总是枯萎后又重新发芽。野火从来不能把它烧尽,只要春风吹来,它照样生气勃勃。

誓不投降
shì bù tóu xiáng

唐德宗时，有五个藩镇叛乱，其中淮西节度
使李希烈兵力最强，自称天下都元帅。

唐德宗没法平定叛乱，派太子太师、德高望
重的大臣颜真卿去做劝导工作。

当时，颜真卿已
是七十开外的老人

颜真卿

李希烈

儿·童·故·事·版

了，许多文武官员听说朝廷派他到叛镇那里去，都为他的安全担心。颜真卿却满不在乎，带了几个随从就到淮西去了。

李希烈听到颜真卿来了，想给他一个下马威。见面的时候，他叫部将一千多人聚集在厅堂内外，颜真卿刚开始劝说李希烈停止叛乱，那些部将就冲上来，拿着明晃晃的尖刀威胁颜真卿，摆出要杀他的架势。

颜真卿见了，毫不畏惧，面不改色。

这时，李希烈假惺惺站起来护住颜真卿，把颜真卿送到驿馆里，想慢慢软化他。

几天后，其他四个叛镇的头目都派使者来跟李希烈联络，要李希烈称帝。李希烈大摆筵席招

颜真卿——在平定安史之乱中立过大功，唐代宗的时候，他被封为鲁郡公。所以，又称颜鲁公。他还是我国历史上著名的书法家，他写的字雄浑刚健，表现了他刚强的性格。后来，人们把他的字体称为"颜体"。

dài tā men   yě jiào yán zhēn qīng lái
待他们，也叫颜真卿来

cān jiā
参加。

jǐ gè shǐ zhě jiàn dào
几个使者见到

yán zhēn qīng   chèn jī shuō
颜真卿，趁机说：

zǎo jiù tīng shuō yán tài
"早就听说颜太

shī dé gāo wàng zhòng
师德高望重，

xiàn zài yuán shuài yào
现在元帅要

chēng dì   yán tài
称帝，颜太

李希烈

颜真卿

shī lái dào zhè lǐ   bú jiù yǒu le xiàn chéng de   zǎi xiàng ma
师来到这里，不就有了现成的宰相吗？"

yán zhēn qīng nù mù yuán zhēng   mà dào   shén me zǎi xiàng bù zǎi xiàng
颜真卿怒目圆睁，骂道："什么宰相不宰相！

wǒ nián jì kuài bā shí le   yào shā yào kǎn dōu bú pà   nán dào huì shòu nǐ
我年纪快八十了，要杀要砍都不怕，难道会受你

men de yòu huò   pà nǐ men de wēi xié ma
们的诱惑，怕你们的威胁吗？"

jǐ gè shǐ zhě bèi yán zhēn qīng lǐn rán de shén sè xià zhù le   yí jù
几个使者被颜真卿凛然的神色吓住了，一句

huà yě shuō bù chū lái
话也说不出来。

lǐ xī liè jiàn shuō dòng bù liǎo yán zhēn qīng   zhǐ hǎo bǎ tā guān qǐ lái
李希烈见说动不了颜真卿，只好把他关起来，

pài bīng shì jiān shì   bīng shì men zài yuàn zi li wā le yí gè tǔ kēng   yáng
派兵士监视。兵士们在院子里挖了一个土坑，扬

誓不投降——唐

yán yào bǎ yán zhēn qīng huó mái zài kēng li
言要把颜真卿活埋在坑里。

dì èr tiān　lǐ xī liè lái kàn yán zhēn qīng　yán zhēn qīng duì tā shuō
第二天,李希烈来看颜真卿,颜真卿对他说:

wǒ de sǐ huó yǐ jīng dìng le　nǐ hé bì zài wán nòng zhè xiē huā zhāo　bù
"我的死活已经定了,你何必再玩弄这些花招,不

rú bǎ wǒ yì dāo kǎn le
如把我一刀砍了!"

lǐ xī liè chēng chǔ dì hòu　yòu pài bù jiàng bī yán zhēn qīng tóu xiáng
李希烈称楚帝后,又派部将逼颜真卿投降。

bīng shì men zài guān yán zhēn qīng de yuàn zi li　duī qǐ chái huo jiāo zú yóu
兵士们在关颜真卿的院子里,堆起柴火,浇足油,

wēi xié yán zhēn qīng shuō　zài bù tóu xiáng　jiù bǎ nǐ diū jìn huǒ li shāo
威胁颜真卿说:"再不投降,就把你丢进火里烧!"

yán zhēn qīng èr huà bù shuō　zòng shēn xiàng chái huǒ li tiào qù　bīng shì men lián
颜真卿二话不说,纵身向柴火里跳去,兵士们连

máng lā zhù tā　xiàng lǐ xī liè bào gào
忙拉住他,向李希烈报告。

jiù zhè yàng　lǐ xī liè xiǎng jìn bàn fǎ　dōu bù néng shǐ yán zhēn qīng
就这样,李希烈想尽办法,都不能使颜真卿

qū fú
屈服。

颜真卿在李希烈的监禁下,后来以自杀来表明他的不
屈服。

fā fèn liàn zì
发愤练字

一天，柳公权和几个小伙伴在村旁的老桑树下，摆了一张方桌，举行"书会"：每人写一张大楷，看谁写得好。一个卖豆腐的老头，挑着担子路过，见他们写字，就放下担子看。柳公权第一个写完，把写好的字递给老头看，说："老爷爷，你看我

老头

柳公权

儿·童·故·事·版

写得怎么样？"

老头见上面写着："会写龙凤家，敢在人前夸。"心里说："字写得虽然不赖，但也太骄傲了，说什么'敢在人前夸'！嗯，得给他泼点冷水。"于是老头说："我看你写的字没筋没骨，软塌塌的，就像我卖的豆腐，根本不该'敢在人前夸'！"

柳公权很不服气，说："你这个老头，连先生都夸奖我的字，你却这样讲。我的字不行，那你写给我看看吧！"

"嘿嘿嘿，我是个大老粗，写不好字。"老头笑着说，"不过，我亲眼看见有人用脚写的字，也比你写得好！"

"谁？你骗人！"

柳公权——唐代著名书法家，创造出独具特点的"柳"体。

x

bú xìn nǐ qù huá yuánchéng kàn kàn ma
"不信,你去华原城看看嘛。"

dì èr tiān liǔ gōng quán jiù qǐ zǎo qù le lí jiā sì shí duō lǐ de
第二天,柳公权就起早去了离家四十多里的

huá yuánchéng xiǎng kàn kàn mài dòu fu lǎo tóu shuō de shì zhēn shì jiǎ jìn le
华原城,想看看卖豆腐老头说的是真是假。进了

chéng liǔ gōng quán kàn jiàn yì kē dà huái shù shang guà le gè bái bù huǎng zi
城,柳公权看见一棵大槐树上,挂了个白布幌子,

shàngmian xiě zhe zì huà tāng sān gè dà zì zì tǐ cāng jìn yǒu lì bǐ
上面写着"字画汤"三个大字,字体苍劲有力,笔

fǎ xióng jiàn xiāo sǎ shù xià wéi le hěn duō rén tā jǐ jìn qù yí kàn
法雄健潇洒。树下围了很多人,他挤进去一看,

只见"字画汤"老人正在写字呢：左脚压住铺在地上的纸，右脚夹起一支毛笔，龙飞凤舞地写对联。那字比柳公权写的不知好多少倍。柳公权看了，脸上火辣辣的，想到自己写的"敢在人前夸"的狂言，羞愧得真想钻进地缝里。

　　从此，柳公权发愤练字，经过一年又一年的努力，终于成为著名的书法家。

铜史墙盘

.91.

中·华·五·千·年

苦 吟 诗 人

kǔ yín shī rén

贾岛是唐代著名诗人，他写诗刻苦又认真，有时，为了找到一个自己满意的字，要捻断好几根胡须。

贾岛年轻时出家当了和尚，有一天，他到一个叫李凝的好朋友家去拜访。到他家时，夜已很深了，月亮高高地挂在天上，

sì chù yí piàn jì jìng
四处一片寂静。

zài lǐ níng jiā liǎng wèi hǎo péng you gāo gāo xìng xìng de huān jù le jǐ
在李凝家，两位好朋友高高兴兴地欢聚了几

tiān lín zǒu qián jiǎ dǎo xiě le shǒu tí lǐ níng yōu jū de shī zèng gěi
天。临走前，贾岛写了首《题李凝幽居》的诗赠给

lǐ níng shī de qián sì jù shì
李凝。诗的前四句是：

xián jū shǎo lín bìng cǎo jìng rù huāng yuán
闲居少邻并，草径入荒园。

niǎo sù chí biān shù sēng tuī yuè xià mén
鸟宿池边树，僧推月下门。

huí jiā de lù shang jiǎ dǎo hái fǎn fù yín yǒng zhe zì jǐ xiě de shī
回家的路上，贾岛还反复吟咏着自己写的诗

jù jiǎn chá yǒu méi yǒu bù tuǒ de zì jù yín zhe yín zhe tā duì dì
句，检查有没有不妥的字句。吟着吟着，他对第

sì jù sēng tuī yuè xià mén zhōng de tuī zì yǒu xiē bù mǎn yì hǎo xiàng
四句"僧推月下门"中的"推"字有些不满意，好像

bù rú yòng qiāo gèng hé shì dàn yòu yǒu xiē ná bú dìng zhǔ yi yú shì
不如用"敲"更合适，但又有些拿不定主意。于是

tā yì biān fǎn fù zuó mo yì biān xiǎng xiàng tuī hé qiāo de qíng jǐng
他一边反复琢磨，一边想像"推"和"敲"的情景，

shǒu li hái fǎn fù zuò tuī qiāo liǎng zhǒng zī shì shèn zhì wàng le zì
手里还反复做"推"、"敲"两种姿势，甚至忘了自

jǐ shì qí zhe lú zǒu zài dà lù shang
己是骑着驴走在大路上。

.93.

幽居——隐居的住所。

少邻并——邻居少。

僧——和尚。

就在这时，京城行政长官韩愈的仪仗队浩浩

荡荡从对面过来了。按当时的规矩，百姓见了仪

仗队要赶快躲避，否则要治罪的。可是，贾岛还

在想像他的"推"、"敲"，根本没有发现仪仗队，

竟骑着驴冲向仪仗队。

等卫兵们把他拉下驴，他才明白自己冒犯了

行政长官的威严，闯下了大祸。

"这个僧人为什么冲撞我的仪仗队？"韩愈

感到很奇怪。

贾岛赶紧把实情告诉

韩愈，恳请韩愈饶恕。

韩愈是文学大师，

苦吟诗人——唐

听了贾岛的话，对他的"苦吟"精神很赞许，不仅没有怪罪他，而且还帮助他琢磨"推"和"敲"用哪个字好。他说："还是用'敲'字好。到朋友家访问，敲门而入才是常理，而且，月夜沉静，你用一个'敲'字，更能衬托出静来，以动显静，使诗更和谐、优美。"贾岛听了很受启发，急忙行礼表示感谢。

从此，贾岛"苦吟"的名声就传开了。

桂花纹剔红盒

故事中诗的意思是：李凝隐居的住所旁少有人家，只有一条杂草丛生的小路通向荒芜的园子。夜晚，月光皎洁，四周静悄悄的。有一个和尚来访，他几下轻轻的敲门声，立刻惊起栖息在树上的鸟儿的一阵噪动。和尚指贾岛自己。

冲天大将军
chōng tiān dà jiāng jūn

唐朝末期，盐税特别重，加上奸商抬高盐价，百姓买不起盐，只好吃淡食。有些贫苦农民，为了生活，就靠贩私盐挣钱。但贩私盐是很危险的，往往要很多人结伙一起干，时间一长，就结成了一支支贩盐的队伍。

公元874年，也就是唐僖宗即位那一年，濮州地方有个盐贩首领王仙芝，召集了几千个农民，在长恒起义。不久，冤句地方的盐贩黄

cháo yě qǐ bīng xiǎng yìng
巢也起兵响应。

huáng cháo cóng xiǎo dú shū yòu néng qí mǎ shè jiàn tā céng jīng dào jīng
黄巢从小读书，又能骑马射箭。他曾经到京
chéng cháng ān cān jiā jìn shì kǎo shì kǎo le jǐ cì dōu méi yǒu kǎo zhòng
城长安参加进士考试，考了几次，都没有考中。
jù shuō nà shí tā zài cháng ān kàn dào táng wáng cháo de fǔ bài hé hēi àn
据说，那时他在长安看到唐王朝的腐败和黑暗，
xīn li fēi cháng qì fèn xiě xià le yì shǒu yǒng jú huā de shī yòng jú huā
心里非常气愤，写下了一首咏菊花的诗，用菊花
zuò bǐ yù biǎo shì tā tuī fān táng wáng cháo de jué xīn shī zhōng shuō
作比喻，表示他推翻唐王朝的决心。诗中说：

dài dé qiū lái jiǔ yuè bā wǒ huā kāi shí bǎi huā shā
"待得秋来九月八，我花开时百花杀；
chōng tiān xiāng zhèn tòu cháng ān mǎn chéng jìn dài huáng jīn jiǎ
冲天香阵透长安，满城尽带黄金甲。"

huáng cháo hé wáng xiān zhī liǎng zhī qǐ yì duì wǔ huì hé hòu zài shān
黄巢和王仙芝两支起义队伍汇合后，在山
dōng hé nán yí dài jiē lián gōng xià le xǔ duō zhōu xiàn shēng shì yuè lái yuè
东、河南一带，接连攻下了许多州县，声势越来越
dà táng wáng cháo fēi cháng hài pà mìng lìng gè dì guān bīng zhèn yā gè dì
大。唐王朝非常害怕，命令各地官兵镇压，各地
guān bīng dōu bù gǎn shǒu xiān qǐ lái hé qǐ yì jūn jiāo fēng hù xiāng guān wàng
官兵都不敢首先起来和起义军交锋，互相观望，
shǐ táng wáng cháo shù shǒu wú cè
使唐王朝束手无策。

.97.

长恒——在今河南。

冤句——在今山东曹县北。

黄梅——在今湖北。

tángwángcháo jiàn yìng de yí tào bù xíng   jiù cǎi yòng ruǎn de shǒu fǎ
唐王朝见硬的一套不行，就采用软的手法，

tā men pài huàn guān qù jiàn wáng xiān zhī   xǔ yuàn fēng tā gāo guān   yào tā tóu xiáng
他们派宦官去见王仙芝，许愿封他高官，要他投降。

wáng xiān zhī guān mí xīn qiào   jìng biǎo shì yuàn yì jiē shòu   huáng cháo dé
王仙芝官迷心窍，竟表示愿意接受。黄巢得

zhī zhè ge xiāo xi   qì fèn jí le   tā dài le yì qún qǐ yì jiàng shì
知这个消息，气愤极了。他带了一群起义将士，

gǎn dào wáng xiān zhī nà li   hèn hèn zé bèi tā shuō   dāng chū dà jiā qǐ guò
赶到王仙芝那里，狠狠责备他说："当初大家起过

誓，要同心协力平定天下，现在你想去当官，叫我们弟兄往哪里去？"

王仙芝还想搪塞，黄巢抡起拳头，朝王仙芝劈头盖脸打过去，打得他满脸是血。旁边的起义将士也纷纷骂他，王仙芝知道自己理亏，只得认错，把唐王朝派来的宦官赶跑了。

经过这件事，黄巢决定跟王仙芝分两路进军，王仙芝向西，黄巢向东。不久，王仙芝在黄梅战败，本人也被杀。

王仙芝失败后，起义军重新会合，大家推举黄巢为王，又称冲天大将军。这之后，黄巢带领起义军一路势如破竹，攻下了许多地方。

黄巢带领起义军经过七年的战斗，攻进长安，取得了胜利。但是没过多久，长安又遭到唐军的包围，黄巢不得不带兵退出长安，最后英勇牺牲。

huáng páo jiā shēn
黄袍加身

五代十国时期，后周周恭帝即位的时候，年纪只有七岁，政局很不稳。

一天，后周朝廷正在举行朝见大礼的时候，忽然接到边境送来的紧急战报，说北汉国主和辽朝联合，出兵攻打后周边境。大臣们慌作一团，

后来由宰相范质、王溥作主，派殿前都点检赵匡胤带兵抵抗。

赵匡胤接到出兵命令，立刻调兵遣

将，带了大军出发去前线。跟随他的还有他弟弟赵匡义和亲信谋士赵普。

这天晚上，大军到了离开京城20里的陈桥驿，赵匡胤命令将士就地扎营休息。

兵士们很快都呼呼入睡了，一些将领却聚集在一起，悄悄商量。

有人说："现在皇上年纪这么小，我们拼死拼活去打仗，将来有谁知道我们的功劳呢，不如我们拥护赵点检做皇帝吧！"

大家听了，纷纷赞成，就推举一名官员去把这个意思告诉赵匡义和赵普。

赵匡义和赵普知道了，暗暗高兴。没多久，这消息就传遍了整个军营。将士们全都起来了，

东京——在今河南开封。

dà jiā nào hōng hōng de yōng dào zhào kuāng yìn zhù de yì guǎn yì zhí děng dào
大家闹哄哄地拥到赵匡胤住的驿馆，一直等到

tiān liàng
天亮。

zhào kuāng yìn yí jiào xǐng lái zhǐ tīng dào wài mian yí piàn cáo zá de rén
赵匡胤一觉醒来，只听到外面一片嘈杂的人

shēng jiē zhe jiù yǒu rén dǎ kāi fáng mén gāo shēng rǎng dào qǐng diǎn jiǎn
声，接着，就有人打开房门，高声嚷道："请点检

zuò huáng dì
做皇帝！"

zhào kuāng yìn gǎn jǐn qǐ chuáng hái méi lái de jí shuō huà jiù yǒu rén
赵匡胤赶紧起床，还没来得及说话，就有人

把早已准备好的一件黄袍，披在他的身上。然后，大伙儿一边高呼"万岁"，一边七手八脚把赵匡胤扶上马，请他回京城。

赵匡胤骑在马上，这才开口说："你们既然立我做天子，我的命令，你们都能听从吗？"

将士们齐声回答说："自然听陛下的命令。"

赵匡胤带着大军回到京城，又有大将石守信、王审琦等接应，很快便拿下了京城。

周恭帝让了位，赵匡胤做了皇帝，国号叫宋，定都东京。历史上称为北宋，赵匡胤就是宋太祖。

公元907年，唐王朝灭亡。之后，中原地区前后换了五个短暂的朝代：后梁、后唐、后晋、后汉、后周，合称五代。五代时期还有许多割据政权，他们有的称帝，有的称王，前后一共建立了十个国。所以，五代时期又叫做"五代十国"时期。

杯酒释兵权
bēi jiǔ shì bīng quán

有一天，宋太祖问宰相赵普："自从唐朝末年以来，换了五个朝代，没完没了地打仗，不知道死了多少百姓，这到底是什么道理？"

赵普回答说："道理很简单，国家混乱，毛病

儿·童·故·事·版

就出在地方权力太大。如果把兵权集中到朝廷，天下自然就太平无事了。"

几天后，宋太祖在宫里举行宴会，请石守信、王审琦等几位大将喝酒。

酒过几巡，宋太祖命令在旁侍候的太监退出去，他拿起一杯酒，说："要不是有你们几位帮助，也不会有我现在的这个地位。但是你们哪儿知道，这个皇帝不好当啊！这一年来，我没有睡过一夜安稳觉。"

几位大将听了十分惊奇，忙问是什么原因。

宋太祖说："这还不明白？皇帝这个位子，谁不眼红啊！"

大家听出话音来了，慌忙跪在地上，说："陛

历史上把这件事称为"杯酒释兵权"。释：解除。后来，宋太祖又通过同样的方法解除了其他地方节度使的兵权，把兵权直接控制在自己手里。

下为什么说这样的话？现在天下都已经安定了，谁还敢对陛下三心二意？"

宋太祖

宋太祖摇摇头说："对你们几位我还信不过？只怕你们部下的将士当中，有人贪图富贵，把黄袍披在你们身上。那时你们想不干，能行吗？"

王审琦

石守信

石守信等人听到这里，感到大祸临头，连连磕头。宋太祖趁机说："我替你们着想，你们不如把兵权交出来，到地方上去做个闲官，快快活活地安度晚年。这样不是更好吗？"

石守信等只好齐

shēng shuō bì xià tì wǒ men xiǎng de tài zhōu dào la
声说:"陛下替我们想得太周到啦!"

jiǔ xí sàn le dà jiā gè zì huí jiā dì èr tiān shàngcháo shí
酒席散了,大家各自回家。第二天上朝,石

shǒu xìn děng rén gè zì dì shàng yí fèn zòu zhāng shuō zì jǐ nián lǎo duō bìng
守信等人各自递上一份奏章,说自己年老多病,

qǐng qiú cí zhí sòng tài zǔ mǎ shàngzhào zhǔn shōu huí tā men de bīng quán
请求辞职。宋太祖马上照准,收回他们的兵权,

dǎ fa tā men dào gè dì qù le
打发他们到各地去了。

陶骆驼俑

人物记

宋太祖——即赵匡胤。公元960年,赵匡胤称帝,建立北宋。

gū jūn fèn zhàn
孤军奋战

宋太宗时，有位大将叫杨业，善于作战，人称"杨无敌"。

公元986年，北方辽国军队侵犯中原，杨业和另外一个将领潘美一起领兵掩护百姓撤退。

那时，辽兵已经占领寰州，兵势很猛。为了吸引住辽军，顺利掩护百姓撤退，杨业主张派兵佯攻。

监军王侁反对杨业的意见，主张正面和敌人交锋。

杨业说："现在敌强我弱，这么做一定要失败。"

王侁带着嘲笑的口吻说："杨将军不是号称'无敌'吗？现在在敌人面前畏缩不战，是不是另有打算？"

这话把杨业激怒了，他大声说："我并不是怕死，只是看到现在时机不利，怕兵士们白白丧命。你一定要打，我可以打头阵。"

潘美也支持王侁的主张，最后，杨业无可奈何，只得带领手下人马出发了。临走的时候，他流着眼泪对潘美说："这一仗肯定要失败。我本来想看准时机，痛击敌人，现在大家都责备我避

寰州——在今山西朔县东。

^{dí} ^{wǒ} ^{bù} ^{dé} ^{bù} ^{xiān} ^{sǐ}
敌，我不得不先死。"

接着，杨业指着前面的陈家峪说："希望你们

在这个谷口两侧，埋伏好步兵和弓弩手。我兵败

后退到这里，你们带兵接应，两面夹击，或许还有

转败为胜的希望。"

杨业出兵没多远，果然遭到辽兵的伏击。辽

兵像潮水一样涌上来，杨业奋勇拼杀，最后抵挡

不住，只好一边打

孤军奋战——宋

一边往后退，把辽军引向陈家峪。

杨业退到谷口，奇怪的是，两边静悄悄的，连宋军的影儿也没有。

原来，潘美、王侁等早就离开了陈家峪。

杨业气愤极了，带领部下转身跟追上来的辽兵展开搏斗。辽兵越来越多，杨业身上受了十几处伤，浑身是血，还来回冲杀，杀伤了几百名敌人。突然，一支箭飞来，正射中他的战马，马倒在地上，杨业摔下地，辽兵乘机围上来，抓住了他。

在辽营里，杨业绝食三天三夜，壮烈牺牲了。

杨业死后，他的后代继承他的事业，在保卫宋朝边境的战斗中屡屡立功，他们一家的英勇事迹受到人们的传诵和赞美。民间流传的杨家将的故事，就是根据他们一家的事迹发展起来的。

tiě miàn bāo zhěng
铁面包拯

包拯在天长县做县令的时候，有一次，县里
发生一件案子，有个农民夜里把耕牛拴在牛棚里，
早上起来一看，牛躺倒在地上，嘴里淌着血。农
民扳开牛嘴一看，原来牛的舌头被人割掉了。

农民又气又心痛，赶到县衙告状，要包拯查
割牛舌头的人。

包拯想了一下，对
农民说："你
先别声张，回
去把你家的
牛宰了再说。"
农民本

来舍不得宰牛，可是割掉了舌头的牛也活不了多久，回家只好忍痛杀了牛。

第二天，有人来衙门告那农民私宰耕牛。因为按当时的法律，耕牛是不能私自屠宰的。

包拯问明情况，沉下脸，突然大声说："好大胆的家伙，你割了人家牛的舌头，反倒来告人私宰耕牛？"

这人一听呆了，伏在地上直磕头，老老实实供认是他干的。

原来，这人跟那农民有冤仇，所以割了牛舌，又告发农民宰牛。

从那以后，包拯审案的名声就传开了。后来，宋仁宗想整顿一下京城开封府的秩序，就调任包

天长县——今安徽天长。

拯到开封府任知府。

　　包拯在开封府任知府期间，有一年，开封发大水，那里一条惠民河河道堵塞，水排不出去。包拯一调查，河道堵塞的原因是有些官员侵占了河道，在河道上修筑花园、亭台。包拯立刻下命令，要那些人把河道上的建筑全部拆掉。

　　有个官员不愿拆，包拯派人去催促，他还强词夺理，拿出一张地契，硬说那块地是他家的产业。包拯仔细一检查，发现地契是伪造的，他十分生气，喝令

铁面包拯——宋

^{nà rén chāi diào huā yuán} ^{hái xiě le yí fèn zòu zhāng xiàng sòng rén zōng gào fā}
那人拆掉花园，还写了一份奏章向宋仁宗告发。

^{nà rén yí kàn shì qing nào dà le} ^{zhǐ hǎo guāi guāi de bǎ huā yuán chāi le}
那人一看事情闹大了，只好乖乖地把花园拆了。

^{bāo zhěng lián jié fèng gōng chū le míng} ^{yǒu xiē zuò guān de xiǎng sòng lǐ gěi}
包拯廉洁奉公出了名，有些做官的想送礼给

^{tā yě bù gǎn}
他也不敢。

^{bāo zhěng duì dài qīn qi péng you yě shí fēn yán gé} ^{yǒu de qīn qi xiǎng}
包拯对待亲戚朋友也十分严格，有的亲戚想

^{lì yòng tā zuò kào shān} ^{tā yě yì diǎn bù jiǎng qíng miàn} ^{shí jiān yì cháng}
利用他做靠山，他也一点不讲情面。时间一长，

^{qīn qi péng you dōu zhī dao tā de wéi rén} ^{zài yě bù gǎn wèi sī rén de shì}
亲戚朋友都知道他的为人，再也不敢为私人的事

^{qing qù zhǎo tā le}
情去找他了。

青花鸳鸯莲纹瓷盘

　　包拯一生为官清廉，人们把他当作清官的典型，尊称他为"包公"。包拯死后，民间流传了许多他铁面无私、打击权贵的故事，还编成戏曲和小说广为流传。

bèi pò qīn zhēng
被迫亲征

公元1004年，辽国大军南下，侵犯宋朝境地。

告急的文书像雪片一样飞到朝廷。

有两个大臣暗地里劝宋真宗逃跑，宋真宗犹

豫不决，召见新任宰相寇准，说："现在有人劝我

迁都金陵，也有人劝我迁都成都，你看怎么办？"

寇准说："这是谁出的主意？出这种主意的，

应该先斩他们

的头！"

接着，寇准

劝宋真宗带兵

亲征，说这样

一来，一定能

鼓舞士气，打退敌人。

宋真宗听了寇准的一番话，壮了胆，决定亲自带兵出征，由寇准随同指挥。

宋真宗带领大队人马到了韦城，一些大臣听说这军兵势强大，害怕了，趁寇准不在的时候，又在宋真宗耳边唠叨，要他退兵躲避。

宋真宗一听，又动摇起来，再次召见寇准，说："大家都说往南方跑好，你看呢？"

寇准义正辞严地说："主张南逃的都是懦弱无知的人。现在敌人迫近，人心动荡，我们只能前进，不可后退。如果前进，各军士气倍增；如果后退，那么全军瓦解，结果可想而知。"

宋真宗听了没话可说，可心里还是七上八下，

韦城——在今河南滑县东南。

澶州——在今河南濮阳。

宋真宗

使者

ná bú dìng zhǔ yi
拿不定主意。

kòu zhǔn zǒu chū xíng yíng　　zhèng hǎo pèng dào diàn qián dū zhǐ huī gāo qióng
寇准走出行营，正好碰到殿前都指挥高琼，

kòu zhǔn chòng zhe tā shuō　　nín shòu guó jiā zāi péi　gāi zěn me bào dá
寇准冲着他说："您受国家栽培，该怎么报答？"

gāo qióng shuō　　wǒ yuàn yǐ yì sǐ bào guó
高琼说："我愿以一死报国。"

kòu zhǔn dài zhe gāo qióng yòu huí dào xíng yíng　　bǎ zì jǐ gāng cái de huà
寇准带着高琼又回到行营，把自己刚才的话

yòu chóng shēn le yí biàn shuō　　bì xià rú guǒ rèn wéi wǒ de huà bú duì
又重申了一遍，说："陛下如果认为我的话不对，可以问高琼。"

高琼连忙说："宰相的话是对的。只要陛下亲征，击败辽兵不在话下。"

在寇准、高琼和将士们的催促下，宋真宗这才继续前行，渡过黄河，到了澶州。

在澶州，将士们看到宋真宗的黄龙大旗，顿时士气高涨。

再说辽军，听说宋真宗亲征，觉得宋朝不好欺负，主动派使者到宋朝行营议和，避免了一场残酷的战争。

寇准坚持抗战，宋真宗觉得他有功劳，很敬重他。但是原来主张逃跑的大臣却在宋真宗面前说，寇准劝皇上亲征，是把皇上当赌注，孤注一掷。这样，宋真宗反过来怨恨寇准，竟撤了他的宰相职位。

shěn kuò hào wèn
沈括好问

sòng cháo yǒu gè zhù míng de kē xué jiā míng jiào shěn kuò   shěn kuò cóng
宋朝有个著名的科学家，名叫沈括。沈括从

xiǎo shàn yú guān chá ài tí wèn tí xìng qù guǎng fàn
小善于观察，爱提问题，兴趣广泛。

shěn kuò   suì nà nián dāng guān de fù qīn jiē dào diào lìng qù fú jiàn
沈括10岁那年，当官的父亲接到调令去福建

quán zhōu shàng rèn shěn kuò hé mǔ qīn yě gēn zhe yì qǐ qù chuán kuài yào qǐ
泉州上任，沈括和母亲也跟着一起去。船快要起

航时，沈括却不见了。父亲急忙让当差的去寻找。

原来，沈括正在河湾看鱼鹰捕鱼呢。当差的跑过去，说："公子，船要开了，快走吧！"

沈括指着小船上的鱼翁说："等一等，我还有个问题要问这位老爷爷呢。"说着，他大声问："老爷爷，鱼鹰抓到鱼，为什么不吞下肚去，却要吐出来呢？"

渔翁回答说："这是经过训练的呀！"

"是怎么训练的呢？"

"开始，用绳子把鱼鹰的脖子系住，这样，鱼鹰抓到鱼就吞不下去了。时间长了，鱼鹰习惯了，不用绳子系，它也会把抓到的鱼送回来。"

"原来是这样啊！我懂了。"

　　沈括——我国古代科学巨著《梦溪笔谈》的作者。书中，除了记载他自己的科学研究成果外，还记录了当时人们的许多创造发明。

quán jiā dào le quán zhōu yì tiān shěn kuò zài jiā li yí biàn yí biàn
全家到了泉州，一天，沈括在家里一遍一遍

de sòng dú bái jū yì rén jiān sì yuè fāng fēi jìn shān sì táo huā shǐ shèng
地诵读白居易"人间四月芳菲尽，山寺桃花始盛

kāi de shī jù mǔ qīn qí guài de wèn nǐ zěn me lǎo shì dú zhè liǎng
开"的诗句。母亲奇怪地问："你怎么老是读这两

jù shī ya
句诗呀？"

shěn kuò yīn wèi bù míng bai shī jù zhōng de yì si lián máng wèn mǔ
沈括因为不明白诗句中的意思，连忙问："母

qīn wèi shén me shān xià de táo huā zài sì yuè li diāo xiè le ér shānshang
亲，为什么山下的桃花在四月里凋谢了，而山上

sì miào li de táo huā què gānggāng kāi fàng ne
寺庙里的桃花却刚刚开放呢？"

mǔ qīn yì shí bù zhī dao zěn me huí
母亲一时不知道怎么回

dá biàn suí kǒu shuō zhè zhè
答，便随口说："这，这……

huā kāi huā luò zǒng yǒu
花开花落，总有

chí zǎo de ya
迟早的呀。"

shěn kuò bù
沈括不

mǎn zú yú mǔ qīn
满足于母亲

de huí dá tā
的回答，他

jué xīn yào qù qīn
决心要去亲

zì nòng qīng zhè ge
自弄清这个

问题。这一年到了四月，沈括邀请了几个小伙伴，一起到郊外的山上去玩。

在郊外的山上，沈括看到那里的桃花果然开得正旺，不像山下的，早已经凋谢了。这到底是什么原因呢？沈括正想着，突然吹来一阵山风，他感到身上一阵发冷。也就是在这时，沈括一下子明白了：原来，山上地势高，气温低，花自然要比山下开得迟！

正是具有了这种善观察、爱提问的精神，沈括后来才成为一个著名的科学家。

.123.

《梦溪笔谈》是沈括晚年居住在今江苏镇江的梦溪园写的，所以书名叫《梦溪笔谈》。

chū shǐ tán pàn
出 使 谈 判

公元1075年，北方辽朝派大臣萧禧来到宋朝东京，要求跟宋朝谈判划定边界。

宋神宗派大臣跟萧禧谈判，双方争论了几天，没有结果。萧禧硬说黄嵬山一带30里地方属于辽朝，宋朝大臣明明知

道萧禧提出的是无理要求，但因为不了解那里的地形，无法反驳他。

后来，宋神宗改派沈括去谈判。

沈括接到了任务，他先到枢密院，从档案资料中查清楚了过去议定边界的文件，证明那块地是属于宋朝的。

沈括向宋神宗报告，宋神宗听了很高兴，要沈括画成地图给萧禧看，萧禧看了，这才没话说。

宋神宗又派沈括出使上京，沈括出发前收集了许多地理资料，叫随从的官员都背熟。

到了上京，辽朝派宰相杨益戒继续跟沈括谈判边界，杨益戒提出的问题，沈括和官员们都对答如流，有根有据。

.125.

黄嵬山——在今山西原平西南。

上京——辽朝京城，在今内蒙古自治区巴林左旗南。

杨益戒一看没有空子好钻，板起脸蛮横地说："你们连这点土地都斤斤计较，难道想跟我们断绝友好关系吗？"

沈括理直气壮地说："是你们背弃过去的盟约！我看真要闹翻了，你们也得不到便宜。"

杨益戒也没话可说，又怕闹僵了对他们没有好处，只好放弃了他们的无理要求。

沈括带着随从官员从辽朝回来，一路上，每经过一个地方，他都把那里的大山河流，险要关

kǒu huà chéng dì tú hái bǎ dāng dì de fēng sú rén qíng diào chá de qīng qīng
口，画成地图，还把当地的风俗人情，调查得清清

chǔ chǔ
楚楚。

huí dào dōng jīng hòu shěn kuò bǎ zhè xiē zī liào zhěng lǐ chū lái xiàn
回到东京后，沈括把这些资料整理出来，献

gěi sòng shén zōng sòng shén zōng hěn gāo xìng rèn wéi shěn kuò lì le gōng bài tā
给宋神宗，宋神宗很高兴，认为沈括立了功，拜他

wéi hàn lín xué shì
为翰林学士。

金面罩人头铜像

　　自和辽朝谈判后，沈括坚持12年，画出了当时最准确的一本全国地图——《天下郡国图》。

坚守东京
jiān shǒu dōng jīng

宋钦宗即位时，正是东北金朝大举侵犯宋朝之时。宋钦宗提拔太常少卿李纲为兵部侍郎，抵抗金兵。

这时候，金朝将领宗望正领兵直向

宋朝京城东京扑来。有些怕死的官员劝说宋钦宗放弃京城逃跑。李纲得知这个消息，立刻求见宋钦宗，说："京城是国家的中心，陛下怎么能走呢？"

宋钦宗一时被说动留在京城，但李纲走后，他又禁不住别的官员的劝说，准备逃跑。

第二天一早，李纲上朝的时候，只见禁军列队在皇宫两边，车马仪仗都已经准备停当，只等宋钦宗上车出发。

李纲大为恼火，厉声对禁军将士说："你们到底愿意守卫京城，还是想逃跑？"

将士们齐声回答说："愿意保卫京城！"

于是李纲和禁军将领一起进宫，向宋钦宗陈述逃跑的危害，宋钦宗一听逃跑也有风险，才不

太常少卿——掌管礼乐和祭祀的官。

dé bù liú xià lái
得不留下来。

lǐ gāng wěn zhù le sòng qīn zōng suí jí jī jí zhǔn bèi fáng shǒu zài
李纲稳住了宋钦宗，随即积极准备防守，在

jīng chéng sì miàn bù xià qiáng dà de bīng lì pèi bèi hǎo gè zhǒng fáng shǒu de wǔ
京城四面布下强大的兵力，配备好各种防守的武

qì hái pài chū yì zhī jīng bīng dào chéng wài bǎo hù liáng cāng fáng zhǐ dí rén
器，还派出一支精兵到城外保护粮仓，防止敌人

tōu xí
偷袭。

sān tiān hòu jīn bīng dào
三天后，金兵到

le dōng jīng chéng xia tā men yòng
了东京城下，他们用

jǐ shí tiáo huǒ chuán cóng shàng yóu
几十条火船，从上游

shùn liú ér xià yào huǒ
顺流而下，要火

gōng xuān zé mén
攻宣泽门。

坚守东京——宋

李纲立即招募了两千名敢死队成员，在城下列队防守。金军的火船一到，兵士们立刻就用挠钩钩住敌船，使它无法接近城墙。

李纲又派士兵从城上向火船扔石块，石块像冰雹一样落下来，火船被打沉了，金兵纷纷落水。

接着，金兵用云梯攻城，李纲亲自登上城楼，指挥作战。他命令弓箭手射箭，金兵纷纷中箭倒下。

李纲的沉着、冷静，大大鼓舞了将士们的勇气，大家越战越勇，充满了胜利的信心。

就在李纲率领将士们奋勇抵抗金兵的时候，宋钦宗却派出使者到金营谈判议和，接受屈辱的议和条件。

tài xué shēng qǐng yuàn
太学生请愿

sòng qīn zōng yì xīn qiú
宋钦宗一心求

hé zhǔn bèi quán bù jiē shòu
和，准备全部接受

jīn cháo de tiáo jiàn lǐ gāng
金朝的条件。李纲

hé yuán jūn dà jiàng chóng shī dào
和援军大将种师道

děng tīng shuō fèi dōu qì zhà le
等听说，肺都气炸了。

zài xǔ duō tóu xiáng pài
在许多投降派

dà chén de gǔ dòng xia sòng
大臣的鼓动下，宋

qīn zōng chè le lǐ gāng hé chóng
钦宗撤了李纲和种

shī dào de zhí xiāo xi chuán kāi qù dōng jīng quán chéng zhèn dòng rén rén qì
师道的职。消息传开去，东京全城震动，人人气

fèn tè bié shì tài xué li de xué sheng qún qíng jī áng
愤。特别是太学里的学生，群情激昂。

tài xué shēng chén dōng shì gè ài guó rè qíng hěn gāo de nián qīng rén
太学生陈东，是个爱国热情很高的年轻人。

zhè yì tiān chén dōng dài lǐng jǐ bǎi míng tài xué shēng yōng dào huáng gōng de xuān
这一天，陈东带领几百名太学生，拥到皇宫的宣

德门外，上书请愿，要求朝廷恢复李纲、种师道的职位，惩办奸贼。

东京城的军民听说太学生请愿，不约而同地来到宣德门前，很快聚集了几万人，抗议的呼声震天动地。

宋钦宗在宫里听见群众闹了起来，吓得要命，连忙派人传旨，说："朝廷是不得已罢李纲、种师道的职，等金兵一退，马上恢复他们的职位。"

太学生们哪肯答应，愤怒地冲进朝堂，拼命敲打"登闻鼓"，把鼓面都敲破了。

有个官员赶来，威胁太学生们说："你们怎么能胁迫皇上呢？"

太学生们大声回答说："我们用忠义胁迫皇

登闻鼓——有急事上奏时敲的鼓。

上，总比奸臣胁迫皇上卖国好吧。"一面说，一面要揪住他，吓得那官员灰溜溜地逃走了。

禁卫军将领一看事情闹大了没法收拾，进宫劝宋钦宗答应大家的要求。

宋钦宗没有办法，只好派人召李纲进宫，当着大家的面宣布恢复李纲、种师道的职务。

太学生们的请愿取得了胜利，大家发出一阵

太学生请愿——宋

léi míng bān de huān hū shēng　　lù xù sàn qù
雷鸣般的欢呼声，陆续散去。

lǐ gāng fù zhí hòu　　chóng xīn zhěng dùn duì wǔ　　xià lìng fán shì néng gòu
李纲复职后，重新整顿队伍，下令凡是能够

yīng yǒng shā dí de yí lǜ shòu zhòng shǎng　　sòng jūn zhèn róng zhěng qí　　shì qì gāo
英勇杀敌的一律受重赏。宋军阵容整齐，士气高

zhǎng　　jīn jiàng zōng wàng kàn dào zhè zhǒng qíng kuàng　　hài pà qǐ lái　　cōng máng chè
涨。金将宗望看到这种情况，害怕起来，匆忙撤

tuì le
退了。

四羊铜方尊

　　金兵退走后，宋钦宗以为从此可以过太平日子了，不再加强军备。公元1127年，金兵再次进犯，俘虏了宋钦宗，北宋王朝宣告灭亡。这年五月，宋钦宗的弟弟赵构在南京即位，这就是宋高宗，历史上称做南宋。

阻击金兵
zǔ jī jīn bīng

公元1130年，金朝大将兀术领兵南下抢掠，在往回撤退到长江边的路上，他们遭到了南宋大将韩世忠的拦击。

那时候，金兵有10万人，韩世忠手下宋军总共才8000人，双方兵力相差很大。韩世忠很清楚，要打赢这一仗，只有依靠士气。

韩世忠召集部将商量说："这一带地势，要数金山上的龙王庙最险要。估计金人一定会到那儿去侦察。"果然不出韩世忠预料，过了

一天，五名金军将士骑着马上了金山，到龙王庙前察看宋军动静。早就埋伏在庙里的宋兵等到金兵靠近，擂响战鼓，猛然冲杀出来。

五名金军将士一看中了埋伏，拨转马头就逃。宋兵追赶上去，抓住了两名金兵，另外三名伏在马背上没命地奔逃。

决战的时刻到来了，双方在长江边上摆开阵势，展开了一场血战。韩世忠披挂上阵，他的夫人梁红玉也身穿戎装，在江心的一艘战船上擂响战鼓。

将士们见主帅夫人也上阵助战，一时间士气高涨，纷纷往前冲杀，杀死杀伤金兵无数。

金军败下阵来，兀术派使者到宋营，表示愿

金山——在今镇江西北。

黄天荡——在今江苏南京市东北。

意把抢来的财物全部还给宋军，只要求让他们渡过江去，回到北方。

韩世忠不答应，兀术又提出把他带来的一匹名马献给韩世忠，也被韩世忠一口回绝。

兀术没办法，只好带着金兵乘船退到黄天荡。谁知黄天荡是一条死港，船驶进那里，找不到出路。

有人向兀术献计说："这里原来有一条河道，可以直达建康，只是现在堵塞不通，如果叫兵士开凿出来，就可以逃过宋军的追击了。"

兀术立刻命令金兵开挖河道。河道挖通后，兀术赶忙指挥金兵沿水道逃往建康。不料，半路上又遇到宋军的堵击，只好退回到黄天荡。

金兵在黄天荡被围困了四十八天，将士们叫苦连天。兀术挂出悬赏牌，悬赏叫人献计。有个汉奸跑来献计说："宋军的大海船，是靠风帆行驶的，只要挑个没风的日子出江，大船就驶不动了。"他还教兀术用火攻的办法攻击宋军。

过了几天，正遇到个大晴天，江面上风平浪静。金兵偷偷登上小船，分批渡江。韩世忠带领兵士乘大船赶去拦击，但因为没有风，大船行驶慢，赶不上小船。正在大家着急的时候，金兵的火箭纷纷射来，射中了宋船的风帆。风帆起了火，整个大船燃烧起来。没办法，韩世忠只好带领兵士退了回去。

兀术摆脱韩世忠后，在静安镇（今江苏江宁西北）又遭到了宋将岳飞的袭击，被杀得一败涂地，狼狈逃窜。

寺庙苦读
sì miào kǔ dú

范仲淹很小的时候,父亲就死了。母亲带着他改嫁到朱家,改名叫朱说。

朱家是财主,朱家兄弟整天吃喝玩乐,不干正事。范仲淹却不同,他立下大志,要刻苦学习,将来干大事。

朱家兄弟见范仲淹整天看书，不理解，说："家里有的是钱，将来用也用不完，你还读什么书？真是个呆子！"

范仲淹听了，只是笑笑。

为了集中精力读书，不让朱家兄弟分散自己的注意力，后来，范仲淹住到了离家不远的醴泉寺里。

寺里的小和尚好奇地问："你这个小财主，怎么跑到这里吃苦呢？"

范仲淹听了，也只是笑笑。

范仲淹在寺里每天专心地读书，经常读到深更半夜，有时实在疲倦得睁不开眼睛，就用冷水浇脸，等睡意过去后，继续读书。有时候，和尚们

南都——在今河南商丘。

睡醒起来了，他
才放下书本去
睡觉。

范仲淹的心
思全放在读书上，
一点也不觉得苦。
他吃的饭很简单，
煮一锅粥，放凉
了，划成四块，早
晚各吃两块，就点咸菜下饭。

范仲淹在寺庙里读了三年书，如果不是知道
自己是范家的后代，不是朱家的后代，他还会在
寺里住下去的。事情是这样的：

一天，范仲淹碰巧看见朱家兄弟在小酒店里
瞎混，他进去劝解，说："你们为什么这样浪费大
好时光呢？"

寺庙苦读——宋

不料，朱家兄弟听了怒气冲冲地说："你算老几！我们朱家的事，不要你管！"

范仲淹听了吃了一惊，回去问母亲，才知道自己原本不叫朱说，叫范仲淹，是范家的后代。

知道了自己的身世，范仲淹读书成才的愿望更加强烈了。不久，他告别母亲，千里迢迢来到南都，进入著名的南都学舍读书，最终成为一个很有学问的人。

三层五足银熏炉

范仲淹——宋朝著名文学家、政治家。字希文，苏州吴县人。他除了在文学上取得很高的成就外，还是一个杰出的政治家，为保卫宋王朝立下过赫赫战功，官至副宰相。

岳母刺字

yuè mǔ cì zì

岳飞小时候，没钱上学堂读书，就在母亲的指导下自学。

一天，他路过学堂，被学生们琅琅的读书声吸引住了，便情不自禁地跑过去，站在窗外，用心听老师教书。

一连几天，岳飞天天去听书，被学堂里的老师发现了。老师叫周侗，是当时有名的

文武双全的人。他被岳飞好学的精神感动了，出来问了岳飞几个问题，岳飞个个对答如流。周老师听了十分喜欢，心里想：这孩子，将来一定成为国家的栋梁之材！

周老师决定免费收岳飞为学生，让他进课堂来读书。岳飞喜出望外，恭恭敬敬地跪拜在地，说："多谢老师栽培！"

以后，在周老师的教导下，岳飞读了很多书，他特别爱读史书和兵法书。读书之余，周老师还教他练武艺。由于岳飞聪明又刻苦，没几年，刀枪剑棍十八般武艺他已样样精通。他擅长用枪，臂力过人，箭上功夫尤为惊人，能左右开弓，百发百中。

尤为惊人——"尤"是"更加"、"更进一步"的意思。

岳母

岳飞

岳母刺字——宋

suì nà nián　yuè fēi jìn chéng cān jiā bǐ wǔ　huò dì yī míng　mǔ
16岁那年，岳飞进城参加比武，获第一名。母
qīn hé zhōu lǎo shī hěn gāo xìng　zhōu lǎo shī miǎn lì tā shuō　nǐ yào jì xù
亲和周老师很高兴，周老师勉励他说："你要继续
nǔ lì jìn qǔ　xué le běn lǐng　yào wèi guó jiā chū lì
努力进取。学了本领，要为国家出力。"
yuè fēi jiān dìng de shuō　ēn shī jiào huì　míng jì bú wàng　bǎo jiā
岳飞坚定地说："恩师教诲，铭记不忘。保家
wèi guó　fù tāng dǎo huǒ　zài suǒ bù cí
卫国，赴汤蹈火，在所不辞！"

几年后，北方的金兵屡屡进犯，为了收复被金兵抢去的宋朝河山，20岁的岳飞毅然决定离家从军。

母亲非常支持儿子，就在岳飞离家前，她在岳飞的背上刺下了"精忠报国"四个字。刺完，她语重心长地说："希望你照这四个字去做，只盼你为国为民尽忠尽力，不辜负母亲的一番苦心！"

"母亲的教导，刻骨铭心，永记不忘！"

岳飞参军后，怀着一片精忠报国的热情，英勇杀敌，最终成为一个赫赫有名的大元帅。

岳飞——宋朝抗金名将，历史上著名的民族英雄。公元1130年，出生于今河南汤阴。

dà pò wù shù
大破兀术

岳飞带领的岳家军，威名远扬。金兵见到岳家军，没有一个不害怕的。

公元1140年，金朝再次撕毁和南宋的和约，举兵分四路向南宋进攻。

岳飞得到回击的命令，一面派几名部将分路出兵，一面派人到河北跟义军首领梁兴联络，要他率领义

军在河东、河北包抄敌人后方。

几天后，几路人马纷纷告捷。金军统帅兀术在东京听说岳飞进兵，十分恐慌，连忙召集部将一起商量对策。大家议论纷纷，说宋朝别的将帅还容易对付，就是岳家军难对付。

商量的结果，兀术决定集中兵力攻打岳家军。双方在郾城摆开了战场。

岳飞先派他的儿子岳云领一支精锐骑兵打先锋。他对岳云说："这次出战，只能打胜仗，如果不能打胜，回来就先砍你的头！"

岳云答应了一声，就带头冲上阵去，奋勇拼杀。一时间，金兵人头纷纷落地。

兀术败下阵来，接着调用他的"铁浮图"进

颖昌——在今河南许昌东。

攻，心里得意地想：哈哈，这回定叫你岳家军有去无回。

"铁浮图"是经过兀术专门训练的一支骑兵，这支人马都披上厚厚的铁甲，以三个骑兵编成一队，居中冲锋；又用两支骑兵从左、右两翼包抄，叫做"拐子马"。

岳飞看准了"拐子马"的弱点。他命令将士上阵时候，带着刀斧，等敌人冲来，弯着身子，专砍马脚。马砍倒了，金兵跌下马来。这时候，岳飞大声喊道："将士们冲啊！"将士们听了，一个个奋勇出击，把敌人打得落花流水。

兀术听到这个消息，恼恨地说："自从出兵以来，全靠"拐子马"打胜仗，这下全完了。"

兀术在郾城失败，又改攻颖昌。岳飞早料到这一招，派岳云带兵救援颖昌。岳云带领800骑兵往来冲杀，金兵没人能抵挡，又打了个大败仗。

岳家军节节胜利，一直打到距离东京只有45里的朱仙镇。

老百姓听到岳家军打到朱仙镇，个个欢欣鼓舞，用牛车拉着粮食赶来慰劳岳家军。

岳飞也止不住心里的兴奋，他鼓励部下说："大家努力杀敌，等我们取得最后的胜利，再痛痛快快喝酒庆祝胜利吧！"

当时，在金兵中流传着一句话："撼山易，撼岳家军难。"意思是说：想要推倒一座山容易，想要战胜岳家军却难上加难。

十二道金牌
shí èr dào jīn pái

岳飞打到朱仙镇，正当士气高涨、要乘胜攻打兀术老巢东京时，突然接到宋高宗的命令，要他带兵从朱仙镇撤兵。

岳飞被弄得莫名其妙。他派人送奏章给宋高宗说：金兵已经丧尽士气，我军士气高涨，胜利就在眼前，时机不能错过。请求宋高宗取消撤兵的命令。

唆使宋高宗命令岳飞撤兵的是宰相秦桧。秦桧本来是北宋时期的大臣，曾被金兵俘虏到金朝。在金朝，贪生怕死的秦桧做了叛徒。后来，金太宗秘密把他放回南方充当内奸。秦桧骗得宋高宗的信任，爬上宰相的高位后，开始千方百计地陷害抗金将领，破坏抗金战争。

再说岳飞的奏章到了秦桧的手里，秦桧想出了一个恶毒的手段，先命令其他各路抗金大将从前线撤兵，然后对宋高宗说，岳飞的军队已经成为孤军，不能再留，叫宋高宗发出金牌，紧急命令岳飞撤兵。

岳飞在前线等待宋高宗进军的诏令，没想到接到的却是朝廷催促紧急退兵的金牌。他正在

.153.

岳飞撤兵离开朱仙镇的一路上，当地许多百姓成群结队随军南迁，愿意跟随岳飞。

岳飞

犹豫，送金牌的快马又到了。这样从早到晚，快马一匹接一匹，一连接到了十二道金牌。

岳飞知道要改变宋高宗的决定已经没有希望，他气愤得泪流满面，说："想不到我十年来的努力，一下子全给毁了。"

附近的百姓听说岳飞要从朱仙镇撤兵，十分震惊，纷纷聚集在街头，拦住岳飞的马，哭泣着不让他走。

岳飞看到这个情景，眼泪禁不住往下流，他叫左右兵士拿出宋高宗的诏书给大家看，说："朝廷下了紧急金牌，我不能擅自作主留在这里啊！"

百姓们见留不住岳飞，都放声痛哭，兵士们也个个心酸，掩着脸哭。整个朱仙镇响起了一片哭声。

仿古铜彩牺耳瓷尊

岳飞回到京城后，立即被解除了兵权。秦桧派人向金朝求和，签下了屈辱投降的"绍兴和议"。和议规定：宋、金之间，东面以淮河为界，西面以大散关（今陕西宝鸡西南）为界；南宋向金朝称臣，每年向金朝进贡银、绢各25万。

shēng qín pàn tú
生擒叛徒

金国完颜亮举兵南下的时候，北方和中原人民趁金国后方空虚，纷纷起义。济南府有个农民叫耿京，也聚集了几十个人起义，后来，他的队伍很快发展到二十几万人。

投奔耿京起义军的人中，有个文才出众的青年，名叫辛弃疾。耿京很看重辛弃疾，派他负责起义军的文书工作，掌管起义军的大印。

在起义军遭到金兵严重威胁的情况

下，辛弃疾向耿京建议说："为了抗金，咱们一定要和朝廷取得联系，南北呼应；万一咱们在这里待不住，也可以把人马拉到南边去。"

耿京很赞同辛弃疾的意见，派辛弃疾和义军总提领贾瑞去见宋高宗。谁知在辛弃疾和贾瑞离开义军的那段时间，耿京被叛徒张安国杀害了。张安国投奔金军后，金朝封他为济州的州官。

辛弃疾在回来的路上听到这个消息，又是痛心，又是气愤，下决心一定除掉叛贼，为耿京报仇。

辛弃疾跟义军的将领商量，有不少将领主动要求跟辛弃疾去济州除奸。辛弃疾带了五十名勇士，一起骑马奔向济州。

辛弃疾他们到了济州官府，叛徒张安国正在

济州——在今山东巨野。

里面设宴请客。他一听是辛弃疾来了，有些心虚，但一时还弄不清来意，就吩咐兵士让他们进来。

辛弃疾和同去的勇士闯进大厅，看见张安国跟一些叛徒正在宴席上喝酒作乐，气得眼睛也红了。还没等张安国开口说话，辛弃疾一个眼色，勇士们一齐拥上去，七手八脚把张安国捆绑起来，拉出衙门。

"你、你们干、干什么？"张安国惊慌得话也

生擒叛徒——宋

说不利索了。

"你干的好事！"辛弃疾气愤地说，一边和大家一起把张安国紧紧地绑在马背上。

这时候，济州兵士闻讯赶来了，他们见到辛弃疾威严的神色，没人敢动手。

辛弃疾趁机对他们说："朝廷大军马上就要来了，大家谁愿意抗金的，参加到我们的队伍里来吧！"

济州的兵士多数跟过耿京，听辛弃疾一号召，有上万人愿意跟着走。辛弃疾立刻带着大家，押着叛徒，直奔南方。

辛弃疾回到南方后，被派到江阴做官。他不顾自己职位低微，几次向朝廷提出抗金的建议。后来，他还创建了一支"飞虎军"。

wén tóng huà zhú
文同画竹

sòng cháo sì chuān yǒu wèi dà huà jiā míng jiào wén tóng zì yǔ kě yǐ
宋朝四川有位大画家，名叫文同，字与可，以
shàncháng huà zhú zi wén míng
擅长画竹子闻名。

wén tóng zhú zi huà de hǎo gēn tā měi tiān xì xīn guān chá zhú zi yǒu
文同竹子画得好，跟他每天细心观察竹子有

关系。为了真实地画活竹子，文同每天去野外观察竹子，无论是严冬，还是盛夏，几乎天天不间断。特别是夏天，四川非常热，人们躲在树阴下还大汗淋漓，热得受不了，而文同却照样到向阳的山坡去观察竹子。

有人笑他说："文同，你不怕热呀！"

文同抹了抹脸上的汗水，回答说："我喜欢热呀！"

还有人说："你看你，风吹日晒，脸都黑了，将来哪个姑娘愿意嫁给你呢？呵呵呵……"

文同被说红了脸，也跟着笑。

为了观察方便，后来，文同在住的屋子的窗前种下了一片竹子。

文同——宋朝著名画家。字与可，自号笑笑先生。

文同

.162.

文同画竹——宋

tā guān chá yáng guāng xia de zhú zi
他观察阳光下的竹子。

tā guān chá yǔ zhōng de zhú zi
他观察雨中的竹子。

tā guān chá yuè guāng xia de zhú zi
他观察月光下的竹子。

tā guān chá fēng zhōng de zhú zi
他观察风中的竹子。

……

gōng fu bú fù yǒu xīn rén wén tóng de zhú zi yuè huà yuè hǎo yuè
功夫不负有心人，文同的竹子越画越好，越

huà yuè chuán shén tā de míng shēng ne yě yuè lái yuè dà yíng dé le hěn duō
画越传神，他的名声呢，也越来越大，赢得了很多

rén de zàn yù
人的赞誉。

wén tóng de péng you cháo bǔ zhī zhè yàng xiě shī chēng zàn wén tóng yǔ
文同的朋友晁补之这样写诗称赞文同："与

kě huà zhú shí xiōng zhōng yǒu chéng zhú yì si shì shuō wén yǔ kě huà zhú
可画竹时，胸中有成竹。"意思是说：文与可画竹

zi shí xiǎng huà de zhú zi zǎo zài tā xīn li yùn niàng hǎo le
子时，想画的竹子早在他心里酝酿好了。

"胸有成竹"原指画竹子前脑子里早已有了完整的竹子形象。现比喻做事前已有成熟的计划和打算。

fā míng huó zì yìn shuā
发明活字印刷

毕升

sòng cháo yǒu gè dà fā míng jiā míng jiào bì shēng bì shēng xiǎo shí hou
宋朝有个大发明家，名叫毕升。毕升小时候，

jiā li hěn qióng méi qián shàng xué   tā jiù cháng cháng zhàn zài xué táng mén wài qiāo
家里很穷，没钱上学，他就常常站在学堂门外悄

qiāo tīng lǎo shī jiāo shū měi dāng xué táng fàng xué   tā biàn yíng shàng qù xiàng xué
悄听老师教书。每当学堂放学，他便迎上去向学

儿·童·故·事·版

生们请教，求他们教他识字读书。没钱买纸和笔，他就用树枝在地上练写，坚持不懈。

毕升15岁那年，父亲送他到万堂书坊去当学徒，学习刻字。毕升勤奋好学，很快，他就掌握了刻字的技术。

可是，毕升并不满足于已经取得的成绩，他发现书坊里的印书技术不好，印一页书，得刻一块板，印一本书，就必须刻很多很多板。如果刻错一个字，那么，整块板就没有用了，真是又费力又费时。

毕升下决心改进这种印书技术，他日日想，夜夜想，一天，终于想出办法来了。他想：可不可以像刻图章那样，一个小方块刻一个字，然后把

坚持不懈——懈，停止的意思。

许多个单个的字根据需要排列起来,再粘固在一起,这样不就能印书了吗?

第二天,毕升就动起手来了。他先把字刻在一块块小木块上,然后把一块块小木块依次排列在有方格的铁框板上,试验下来的结果,效果非常好。

书坊的老板很感兴趣,不过他问:

毕升

老板

发明活字印刷——宋

"要印成一本书，得需要无数块这样的木块，你怎么能做到很快地把一个个字挑选出来呢？"

毕升回答说："这点我考虑过了，汉字有部首笔画，按部首笔画归类，拣字排字就不费劲了。"

在这个基础上，后来，毕升又开始试验用"胶泥"刻字。把字刻在一块块胶泥上，用火烧硬后就变成一个个活字，这比在木块上刻字要省力省时多了，印刷的效果也好。

毕升就是这样发明了活字印刷技术，为人类印刷技术的提高作出了巨大的贡献。

活字印刷技术的发明，大大推动了人类文化事业的发展，直到今天，有些地方还在使用这种印刷技术呢。

图书在版编目 (CIP) 数据

中华五千年. 3，隋、唐、五代十国、宋: 儿童故事版 / 王琪正编文; 胡志明
工作室绘. —上海: 上海人民美术出版社, 2003.6
ISBN 7-5322-3603-X

I.中… Ⅱ.①王…②胡… Ⅲ.①中国—通史—儿童读物②中国—古代史
—隋唐时代~宋代—儿童读物 Ⅳ.K209

中国版本图书馆 CIP 数据核字 (2003) 第 049916 号

儿 童 故 事 版 中 华 五 千 年

上海人民美术出版社出版发行
(地址: 上海市长乐路 672 弄 33 号)
深圳市鹰达印刷包装有限公司印刷
(地址: 深圳市罗湖区水贝一路水贝工业区 21 栋 2 楼)
开本: 889 × 1194　1/24　印张: 28
印数: 1- 20000 册
2003 年 8 月第 1 版第 1 次印刷
责任编辑: 林伟光　　装帧设计: 付莉萍
ISBN 7-5322-3603-X ／ G·122
定价: 79.20 元(全四册)

海豚卡通策划制作

网址: www.dolphinct.com
邮箱: haitunkatong@vip.sina.com